新潮文庫

五千回の生死

宮本輝著

新潮社版

4446

目次

解説　荒川洋治

五千回の生死

トマトの話

十二時きっかりに、みんなはそれぞれの仕事の手をとめて、弁当の箱を開いたり、近くのサラリーマン相手の食堂に行くために、席を立っていったりした。小野寺孝蔵はここ一週間ばかり食欲がなかったので、会社での昼食は鍋焼《なべや》きうどんと決めて、如月亭《きさらぎてい》といううどん屋から出前を取っていた。十一時半に如月亭に電話をかけるとき、同じ企画制作部の連中に、

「誰《だれ》かついでに何か註文《ちゆうもん》してくれへんかァ。ひとつだけやったら、いちばんあとまわしにされて、一時過ぎに持って来たりしよるんや」

と頼んでみる。たいていひとりかふたり、それなら俺《おれ》もと言って、天丼《てんどん》や肉丼を註文してくれる。品数がある程度まとまっていると、こちらの要求どおり、ほぼ十二時に持ってくるが、ときに電話のあと十分ほどしかたっていないのに「まいど！」と大声で岡持ちを下げて入ってくる場合があり、そんなときは、さめてしまうのを覚悟で、十二時になるまで待っていなければならない。三ヵ月前に人事異動があり、企画制作部の部長が荒木という男に変わって、それ以来何やかやとしめつけがきつくなった。小野寺の勤める広告代理店は、大阪では中堅クラスとみなされていたが、実際は三流どころといった程度で、制作部という、会社組織とあまりうまくやり合っていけない連中たち、デザイナーやイラストレーター、カメラ

マン、それにコピーライターといった若い社員に対する考え方が、他の大手の代理店に比べてかなり異なっていて、どうしても会社の決めた規準に無理にも合わせようとするところがあった。それでも、前の制作部長は、そのへんのところを割合心得ていて、少々遅刻しようが、昼食に出たまま三時頃《ごろ》まで帰社しなくとも、知らんふりをしていてくれた。仕事さえちゃんとこなしていれば、それでいい、デザイナーとかコピーライターなんて連中は、適当に自由に泳がしておいたほうが、いい仕事をするものだという考えの持主だったからである。ところが荒木という男に変わってから、たとえ一分の遅刻でも厳しく理由を問われる。セーター姿で出勤すると、背広にネクタイを着用するよう注意される。それもまるでそうすることが自分の仕事みたいな執拗《しつよう》さで、いつまでも小言をやめないので、社内では天下御免のようにふるまっていた制作部員たちも、いまではいつのまにか、上辺《うわべ》だけはすっかりサラリーマン化してしまい、十二時になるまでは決して席を立たず、一時には必ず制作室に帰ってくるようになったのだった。

小野寺は机の上にもう三十分近く置かれたままになって、冷たくなりかけている鍋焼きうどんをすすった。天丼を食べていたカラスが、同じデザイナーの美津子と、学生時代にどんなアルバイトを経験したかという話を始めた。カラスの本名は赤木純一というのだが、まるでカラスの濡《ぬ》れ羽色とでも言えるような艶《つや》のある漆黒の髪を長く肩までたらしていた。そのうえ、着る物はどれも黒一色で、背広もカッターシャツもネクタイもセーターも、夏といわず冬といわず黒でまとめていたから、みんなは本名で呼ばずにカラスと呼んでいた。カラスは縁なしの度の強い眼鏡をかけていた。頭の回転が早く、ちょっとした冗談に独特の深みがあった。だが性格面に、ちょっと病的と言えるほどのルーズな面があり、とりわけ金銭上のことで、デザイナー仲間とのトラブルが絶えなかった。金銭面で迷惑をこうむったことのある人間は、カラスのことをひどく罵倒《ばとう》して、小野寺に向かって、あいつとは絶対に深いつき合いをしないようにと忠告してくれるのだが、小野寺はカラスが好きだった。わざと愚かさを装ったり、剽軽《ひょうきん》ぶったりしていたが、そのじつ、思いも寄らない繊細さと利発さを発揮して、コピーライターである小野寺の仕事のいい相棒役を果たしてくれるからだった。カラスと美津子との話が面白《おもしろ》そうだったので、小野寺は鍋焼きうどんをすすりながら、ふたりの傍《そば》に行って椅子《いす》に腰かけた。カラスは、高校生のときの夏休みに三日で音《ね》をあげてやめてしまったという雨漏り防止設備の会社でのアルバイトが、生涯《しょうがい》忘れられないほど辛《つら》いものであったことを、彼一流の剽軽さとおかしさを交じえながら喋《しゃべ》った。

「ビルの屋上にコンクリートを敷く前に、雨漏り防止のためのコールタールを塗り重ねるんや。石油缶《かん》の中に煮えたぎったコールタールが溢《あふ》れるほど入れてあるんや。それをふたつ天《てん》秤棒《びんぼう》に下げて運ぶ仕事やがな。ちょっとでもコールタールが体にかかったら大やけどするよってに、足には太股《ふともも》まである厚いゴムの長靴《ながぐつ》を履いてるんや。そのうえ両手には肩まである長いゴム手袋をはめてる。真夏の炎天下に、高層ビルの屋上で煮えたぎってるコールタールをかついでそのうえそんな格好で歩いてみィ。もう十分もしたら目が廻《まわ》ってくるでェ。ひっくり返して、親方に天秤棒で何回どつかれたか判らへん。十日間の契約やけど、三日で逃げだした。あれは地獄の三日間やったなァ」

カラスは、小野寺にも何か思い出に残るアルバイトの経験はないかと訊《き》いた。制作室には、カラスと美津子と小野寺の三人きりだった。いつもは、社員たちがきっかり一時間で食事から帰って来るかどうかをデスクに坐《すわ》って見張っている部長の荒木の姿もなかった。何色もの色エンピツやカッターナイフ、版下《はんした》を張るための接着材の缶が、机の上に並んで、さっきまでカメラマンがいかにも仕事みたいなふりをして眺《なが》めていた何百枚ものポジフィルムが、てんでんばらばらに散らばっていた。

高校生のときも、大学生のときも、数え切れないくらいアルバイトをやったと小野寺が答えると、カラスも美津子も、その中でいちばん思い出に残っていることを話せとせっついた。小野寺は鍋焼きうどんを食べ終えて時計を見た。一時まであと四十分あった。四十分で話し終えることは出来そうにないからと断わったが、ふたりはいやに小野寺の話を聞きたがって承知しなかった。小野寺は煙草《たばこ》に火をつけて、煙を胸の奥深くに吸い込んだ。すると、ふいにあの最後の朝のぎらつく太陽が心の中いっぱいに膨れてきて、なぜか話さずにはいられない気持になってしまったのである。それで彼は手短かに終えるつもりで語り始めたのだが、脳裏に映し出されてくるさまざまな映像に精神が没入して行くに従って、自分でも異様に感じるほどの興奮にかられていった。彼は、自分らしくない笑みを作って話しつづけた。

ぼくが大学の三年生のときに父が死んだ。商売に失敗して多くの借財をかかえたうえでの父の死だったから、ぼくと母は借金取りから逃れて、大阪のはずれの小さな町のアパートに、六畳一間を借りてそこに夜逃げ同然の格好で引っ越した。母は新聞広告で、大阪市内のあるビジネスホテルの社員食堂に勤め口を捜し、そこで働くことになった。ぼくは父が死んだとき大学を辞める決心をしたのだが、あと二年なら、何とかアルバイトをしながら卒業出来るかも知れないと思い直し、ある夏の昼下り、天満《てんま》の扇町公園の傍にある「学生相談所」に行った。そこは言わば学生専用の職業安定所と呼べるところで、アルバイト口を求める学生でごったがえしているが、必ず何かの仕事にありつけるからと友人に教えられたからだ。

少々きつい仕事でも賃金の多いのにありつきたかったので、ぼくは掲示板に張り出されている紙の端に示された日給の額ばかり見つめて、同じ年頃の若者たちと押し合いへしあいしながら、掲示板の前を右に行ったり左に行ったりしていた。六十五番と番号のうたれている紙に、日当三千五百円（交通費は別に支給）と書かれてあった。当時、学生のアルバイトで日給が二千五百円を越えるものなどなかったので、ぼくはこれだと思いながら、六十五番の紙に見入った。職種は道路工事のための交通整理要員で、勤務時間は夜の八時から翌朝六時までだった。ただし期間は十日間で、ぼくが望んでいた三ヵ月か半年間ぐらいの長期にわたるアルバイト口ではなかった。しかし、十日で三万五千円になる。その仕事を終えたら、また新しいアルバイト先を見つければいい、ぼくはそう考えて事務員のところに行き、六十五番の仕事を希望する由《よし》を伝えた。定員は五人で、すでに四人が決まっていて、ぼくが最後の希望者だった。書類に名前と住所、所属する大学名を書かされると、こんどは現場の住所と簡単な地図、それに現場の担当責任者の名前が書かれた紙きれをくれた。現場は伊丹《いたみ》の飛行場の近くで、伊丹市昆陽《こや》、国道百七十一号線と宝塚《たからづか》へ行く国道とが交差するところだった。

梅田の地下街でラーメンとシューマイと御飯を食べた。とにかく徹夜仕事になるのだから、しっかり食べておかなければと思ったのだった。阪急の神戸線で塚口まで行き、そこで伊丹線に乗り換えた。伊丹駅からはバスだった。地図に書かれているとおりに、ぼくは指定されたバスに乗って現場に向かった。バス停を降りて、神戸の方向に向かって歩いて行くと大きな交差点が見えて来た。工事中であることを示す無数の赤いランプが点滅して、ブルドーザーが二台動いていた。ぼくはブルドーザーの運転手に担当責任者である伊藤という人はどこにいるかと訊いた。

「飯場におったでェ」

それから、上半身裸の運転手は汚れたタオルで鉢巻《はちまき》をして、ブルドーザーをぼくの立っているほうに旋回させながら、

「こら！　どきさらせ。ぼやーっとしとったらひき殺すぞォ」

と怒鳴った。ぼくがびっくりしてうしろに跳びのくと、うしろから別のブルドーザーが迫って来て、かつてあびせられたことのない乱暴な言葉でまた怒鳴られた。まだ八時にはなっていなかったが、すでに作業は始まっていたのだった。ヘルメットをかぶった労務者たちがツルハシとスコップを持って、ブルドーザーのこぼして行ったアスファルトの破片を集めている。現場を照らす大きなサーチライトが、労務者たちの垢《あか》と埃《ほこり》にまみれた顔やシャツを照らしていた。

交差点から少し離れた坂の上にプレハブ造りの飯場がふたつ建っていた。手前の横長の建物は文字通りの飯場で、炊事場と食堂、それに作業員たちの寝場所にあてられていた。食堂の横に畳が敷かれ、何枚もの蒲団《ふとん》が敷かれたままになっている。炊事場で何か仕事をしているらしい三十前後の太った女の姿が見えたので、ぼくは伊藤さんはどこにいるのかと訊いた。

「隣の事務所や。あんた、アルバイトの子ォか?」

女は荒っぽい口調で言った。ぼくがそうだと答えると、

「めしは食うて来たんか。まだやったら、おにぎりが山程あるさかい、思いっきり食べときや」

と言って、女はプラスチックの大きな箱にぎっしりと詰まっているソフトボールほどあるかと思えるようなおにぎりを指差した。ぼくは食事は済まして来たと言って、隣の事務所の急な階段を駈《か》け昇った。現場主任と書かれた腕章をつけている髭《ひげ》もじゃの男が、電話口で何

やら怒鳴っていた。その奥に、ぼくと同じアルバイトのために雇われてきた学生四人が、それぞれ何やら心細そうな表情で立っていた。ぼくは学生相談所で貰《もら》った書類を作業服を着た若い男に渡した。その男が伊藤だったらしく、

「おーい、これで五人揃《そろ》たでェ」

と髭もじゃの男に叫んだ。髭もじゃの現場主任は背は低かったが、九十キロはあるかと思えるほどの体軀《たいく》で、電話を切ると大きな図面を片手にぼくたちの傍にやって来た。

「交差点のど真ん中のアスファルトを補修する工事や。そやから交差点を中心に東西と南北に走って来る車をせきとめる仕事をしてもらう。信号は警察のほうで停《と》めてくれてるから、要するにお前らが信号機になるんや。交差点は朝までずっと片側通行や。そやから、東西に行く車も、南北に行く車も、必ずどっちかを停めて、そのうえ片側通行をさせんとあかんのや」

現場主任は二重顎《にじゅうあご》に汗をしたたらせて、意外に穏やかな口調で仕事の内容を説明してくれた。なんと恐しい顔をした男だろうと思っていたので、ぼくは少し安心して他《ほか》の四人の名前も知らない学生たちの顔を見た。みな緊張した面持で、現場主任の示す地図に見入っていた。

「ちょっとでもタイミングが狂うたら、大停滞を起こして、収拾がつかんようになるぞォ」

主任はそう言って、黒板に現場の地図を書き、お前はここ、お前はあそこと、それぞれの持ち場を決めてから、交通整理のやり方を教えてくれた。まず東西南北どの方向に走って行

く車も停める。次に東行きの車をさばく。その際は、持ち場にいる者は車を行かせてもいいかという合図を全員に示さなければならない。その合図は両方の手に持った赤いフードのついた懐中電灯を大きくぐるぐると廻すこと。了解の合図は片方の懐中電灯をこんどは左右に大きく振る。それを確認するまでは、絶対に車を動かしてはいけない。東行きの車をある程度さばいたら、今度は西行きを通させる。要領は同じことだ。東西の車が済んだら、次は南北に走って行く車の処理をする。主任は何度も何度も合図のやり方を教え、ぼくたちにひとりひとり復唱させた。

「それからいちばん大事なのは、この交差点の真ん中に立つやつや」

それはぼくだった。主任はぼくに言った。

「交差点はブルドーザーが動き廻ってるし、何台も何台もダンプが出入りするから、慎重に車を誘導するんやぞォ。きょうは交差点西側の南半分のアスファルトを張り換えるから、東西へ行く車は全部交差点の北側を通させるんや。南北に行く車もおんなじ要領や。へたな誘導をしたら、車が出入りするダンプとぶつかるし……」

そこまで言ってから、しばらく黙っていたが、やがていやに真剣な顔つきでつけ足した。

「それどころか、お前もダンプかブルドーザーの下敷きになってしまうんや」

「ぼく、十日間、ずっと交差点に立つんですか?」

ぼくは恐る恐る訊いてみた。主任はしばらく考えていたが、その場所がいちばん危険で疲

れるところである点を考えたらしく、

「持ち場は毎日交代することにしょうやないか。とにかく、今晩ひと晩でコツを覚えるやろから、あしたからはらくになるやろ。そやけど、交差点の真ん中に立つやつは、絶対に気を抜くなよ。それで死ぬか大怪我《おおけが》したやつが、これまでにも二、三人おるんやから」

ぼくは、もうこんな危険なアルバイトはやめようと思った。それで、そのことを言おうとしたとき、作業員が駈けあがって来て、

「主任、始めまっせェ！」

と言った。ぼくたちは用意された懐中電灯を持ち、ヘルメットをかぶって現場まで走らされた。主任と伊藤はぼくたちに大声で持ち場につくよう命じると、信号機を切るためにやって来た警官に手を振った。もう逃げ出すことは出来なかった。信号機は切られ、東西と南北からやって来る車がアルバイト学生の指示で停止した。その途端、ダンプの荷台がせりあがり、巨大な量の熱いアスファルトがぼくのすぐ傍に積みあげられた。

「こらァ！　死にたいのかァ」

主任がぼくを見て大声を張りあげた。ぼくは安全なところを捜して走った。東行きの車が通過し始めていたので、ぼくはブルドーザーやダンプや煮えたったアスファルトの山を避けながら両手に持った赤い光の誘導灯を必死に振って、次々と通過する車を東の方向におくった。合図が変わり、西行きの車が動き出し、それが済むと北行き、次いで南行きと、停めて

ある車の長い列はアルバイト学生の振り廻す誘導灯によって、とどまることなく流れ始めたのだった。ぼくはブルドーザーを避け、巨大なダンプの荒っぽい運転から逃れながら、あっちへ走り、こっちに走りしながら、延々とつづく車に通るべき道を示すために懐中電灯を振りつづけた。アスファルトの匂《にお》いと、通過する無数の車の排気ガスで、一時間もたたないうちに喉《のど》が痛くなった。ここで十日間働いたら、ぼくは死ぬかも知れないと本気で思った。ヘルメットの下からは、とめどなく汗が流れ落ちて来て、それが目に入った。何度も手の甲でぬぐったが、汗の量は時間とともにいっそう多くなり、ぼくはヘルメットをぬぐと道端に放《ほう》り投げた。すると伊藤が血相を変えて走って来て、

「ヘルメットをかぶっとかんと、頭に大怪我するぞォ。砕いた古いアスファルトをダンプが山盛りにして持って帰りよるんや。それが落ちて来て、頭に当たったら、いちころやないか」

と言った。ぼくは慌《あわ》ててヘルメットを拾い、しっかりとかぶり直すと、タオルを事務所に忘れて来たので取って来てもいいかと訊いた。ぼくの汗を見て、伊藤は舌打ちをしながら、許可を与えてくれた。その間、車の誘導は、伊藤が代わってくれることになった。ぼくは飯場に走って行くと、さっきの女に水をくれと頼んだ。

「水よりも、そこに冷たい麦茶があるでェ」

女はそう言って縁の欠けた湯呑《ゆの》み茶碗《ちゃわん》を差し出し、大きなやかんの中の麦茶をついでくれ

た。ぼくは麦茶を三杯たてつづけに飲むと、事務所に行って自分のタオルを持ち、再び飯場に戻《もど》った。汗を拭《ふ》きながら、また麦茶を三杯飲んだ。

「あんたも、麦茶いれたろかァ？」

誰《だれ》もいないと思っていた蒲団の敷きっ放しにしてある細長い畳敷きの部屋に向かって、女がそう言ったので、ぼくはタオルで汗を拭きながら、電灯の消えた飯場の奥の部屋に目をやった。部屋の隅《すみ》の蒲団の上に誰かが横たわっていた。返事はなかったが、寝返りを打って、かすかな呻《うめ》き声をたてた。

「この麦茶、あの人に持ってったってんか」

女に言われて、ぼくは靴《くつ》を脱ぐと、コップを持ち、部屋の隅まで行った。痩《や》せた中年の男が蒲団の上に寝転んでいた。ぼくが枕元《まくらもと》にコップを置くと、目をあけてしばらくぼくを見ていたが、何も言わずすぐに目を閉じてしまい、麦茶にも口をつけようとしなかった。ぼくがその場から離れて行こうとしたとき、男が何か言った。

「えっ？ なに？」

ぼくが立ったまま訊き返すと、男は濁った声で、

「トマトが欲しいんじゃが……」

と言った。

「トマト……？」

ぼくは炊事場の女に、男の言葉を伝えた。

「トマトみたいなもん、いまここにあるかいな。あした買《こ》うてきたるわ」

女は大声でくらがりの奥の男に言った。ぼくはタオルを尻《しり》のポケットにねじ込むと、大急ぎで自分の持ち場へ帰って行った。

車の停滞は十二時が過ぎる頃《ころ》になって、やっと減っていき、その頃になると学生たちもかなり要領が判《わか》って来て、お前がこさせてもいいという合図を出したから車を発進させたのだ、いや俺《おれ》はまだこいという合図は送っていない、などといったトラブルも殆《ほとん》ど起こらなくなっていた。夜中の三時を過ぎると少し涼しさも加わり、ぼくたちの誘導を待って停まっている車も、東西、南北ともに七、八台程度になった。だが、あいかわらずダンプは何台も入れ替り立ち替り、猛スピードでやって来ては、再び猛スピードで去って行き、古いアスファルトを掘り起こす大型機械と、それら瓦礫《がれき》を掬《すく》い集めているブルドーザーが、煌々《こうこう》たるサーチライトの下で動き廻っていた。他の四人は、車を停めているあいだ、道端に坐《すわ》って休憩することが出来たが、交差点の真ん中にいるぼくだけは、ただの一瞬たりとも気をゆるめることは出来なかった。足は棒のようになり、土踏まずのところが熱がたまったみたいに疼《うず》き始めた。主任が、飯場の前の坂道から大声でぼくを呼んでいた。削岩機とブルドーザーの音で、何を言っているのかまったく聞こえなかった。すると別の作業員がやって来て、主任が呼んでいる。俺が代わってやるから行ってこいと耳元で怒鳴った。ぼくが主任のところに行くと、主

任は身振りで飯場の中に入るよう促し、椅子《いす》を指差して、

「まあ、坐れや。他の持ち場の連中は適当に休めるけど、お前は朝まで立ちっぱなしや。しばらく、ここで休んでいき」

そして胸ポケットから煙草《たばこ》を出して、

「吸うか？」

と言った。ぼくは主任の煙草を貰って、火をつけた。

「きつい仕事やけど、途中で辞めんと、最後の工事が終わる日まで来てくれたら、ちょっと多いめに金を払うからな」

主任は自分も煙草を吸いながら、冷たい麦茶を飲んでいた。ぼくは飯場の奥を窺《うかが》って、

「あの人、病気ですか？」

と訊《き》いた。

「おととい、どこかの手配師がつれて来よったときは元気やったんやけど、きのうの夕方道の真ん中で倒れよったんや。医者を呼ぼうと思たら、目を醒《さ》まして、一日か二日、休んだらまた働けるから言うて、あないやって寝とるんや。まあ、働かん日は日当を払わへんから、別にかめへんけど、病気なら医者に診せんとなァ」

しかし、主任の話だと日雇い労務者として雇われてきた者を会社の金で治療してやることは出来ないのだということだった。どこの会社や組織にも属していないから、労災も適用さ

れない。まして本名も名乗らず、出身地も年齢も明かさない者が多いから、なおさら面倒が見かねるとのことだった。主任は時計を見て、あと十五分たったら持ち場に戻るようにと言って現場に帰って行った。大きな蠅《はえ》が何匹もうるさくぼくにまとわりついた。プレハブ造りの飯場の中は、食べ物の臭気と昼間の熱気の余韻で、むせかえるようだった。ぼくはコップに麦茶を入れると、男の傍《そば》に行った。こんどは足音に気づいて、男は目を見開いてぼくの近づいてくるのをずっと見つめつづけていた。

「麦茶、飲みませんか？　この部屋におったら喉が乾くでしょう」

男は寝たまま、首を動かして、小声で礼を言ったが、麦茶を飲もうとはしなかった。

「お医者さんに診てもろたらどうですか」

ぼくの言葉に、男は笑顔で応じたが、何も言わず目を閉じてしまった。暗くて顔もはっきり見えなかったが、ぼくは男がかなりの重病なのではないかと思った。父が死ぬ五日ぐらい前にも、ぼくはもうあと五日か六日程度しかもたないだろうと理由もなく予感したのだが、蒲団に横たわっている男の体の薄さに、死期の迫っている病人特有の翳《かげ》りがあった。

「トマトが欲しいんじゃけど、買《こ》うて来てくれんでしょうか」

男は目を閉じたまままそう言った。九州の人だなとぼくは思った。大学の友人に九州から来ている者がいて、言葉の訛《なま》りがよく似ていたからだ。

「炊事の女の人が、あした買《こ》うて来てやるて言うてましたよ」

「あの人は言うだけです。きのうも頼んだんじゃけど、忘れた言うて買《こ》うて来てくれませんでした」

「そしたら、あした、ぼくが買《こ》うて来てあげます」

ぼくはそう約束して現場に戻った。それから六時まではあっという間だった。五時前には空が明るくなり、六時になるともう朝日が当たって暑いくらいだった。六時きっかりに仕事は終わり、信号機が作動を始め、ぼくたちは、疲れきった体をひきずって飯場に戻って行った。戻って行く道すがら、ぼくたちアルバイト学生は初めて言葉を交わした。

「これから九日間、地獄やなァ」

大西と名乗った学生が誰に言うともなくつぶやいた。

「交差点の真ん中に立つやつは、地獄の三丁目ぐらいのとこにいてるようなもんやでェ」

とぼくが言うと、今夜その役にまわされる中谷という小柄《こがら》な学生が、

「小野寺の走り廻《まわ》ってる格好を見てるだけで、背筋が冷とうなったでェ。お前、自分でも気がついてなかったやろけど、もう何遍も、ダンプのうしろに当たりそうになってたでェ」

と言った。工事は十日間だったから、もう一回ぼくにもその役が廻ってくるのだった。

飯場の食堂には何十人分もの朝食が用意されていた。徹夜明けの体には食欲がなく、ぼくは豆腐とジャガイモの入った味噌汁《みそしる》を飲み、御飯に玉子をかけて無理矢理かき込むと、飯場の前に作られた洗い場に行って、顔を洗った。すると若い日雇い労務者らしい男が、手作り

中のシャワーがあることを教えてくれた。何かのバラックの裏にブリキで囲いがしてあり、中にホースが一本垂れ下がっている。ぼくは服を脱ぎ、全裸になると、水道の栓《せん》をひねった。ホースから落ちてくる水で全身の汗を落としたが、下着もズボンもシャツも埃《ほこり》と汗を吸い込んでいて、それを着るとかえって水をあびる前より体がねちゃねちゃするような感触に包まれた。労務者は朝食を済ませると、クーラーも扇風機もない飯場の奥の部屋で夕方近くまで泥《どろ》のように眠るだけだった。

ぼくたちはバスに乗って阪急の伊丹駅まで行った。そこから家に帰るには、まだ二時間近くかかりそうだった。いっそ駅のベンチで夕方まで眠っていようかと思うくらい、ぼくは疲れきっていた。みんなと梅田の駅で別れると、ぼくは重い体をひきずって国鉄の環状線に乗り、京橋駅で降りてまたそこから片町線に乗り換えた。古びた車輛《しゃりょう》の、汚れたシートに倒れ込むと、眠ってしまわないよう、わざと車窓から眩《まぶし》い空ばかり見つめた。ぼくの降りる駅までは三十分ぐらいだったが、降りてからアパートまでの道が長く、ぼくが帰り着いたのは十時前だった。部屋に入ると、丸い小さな膳《ぜん》の上に紙きれが置いてあり、母の伝言がエンピツで走り書きされていた。必ず、家に帰って睡眠をとるように、必ずちゃんと夕食を食べてから仕事先に向かうようにといった意味のことが書いてあった。ぼくは窓をあけ、パジャマに着換え、扇風機をかけっぱなしにして蒲団《ふとん》に倒れ込み、そのまま眠った。目を醒《さ》ましたのは夕方の五時だった。疲れの取れ切っていない、重くだるい体を濡《ぬ》れタオルで拭いてから、ぼくは服に着換えてアパートを出た。きのうと同じ梅田の地下街の中華料理屋で、きのうとまったく同じものを食べて、阪急電車に乗った。

伊丹駅の近くで、男に頼まれたトマトを五つ買った。ぼくは現場に着くと、すぐに飯場の奥で寝ている男のところに行った。ぼくはトマトを男の枕辺に置いて声をかけようとしたが、男は眠っているらしく静かな寝息が聞こえた。

その夜の仕事は、きのうと比べると何倍もらくだった。ぼくは大きな十字路を東西南北に伸びる国道の北側に立ち、車をさばいた。他の学生たちもすっかり慣れて、トラブルは殆ど起きなかった。慣れてくると、ぼくたちアルバイト学生のあいだには、ある連帯感のようなものが生まれて来て、交差点の真ん中がその夜の持ち場になった者を、一時間に一回休ませることにし、それぞれが順番を決めて交代してやり、休憩をとらせてやるといった配慮をするようになった。誰かがそっと飯場に忍び込み、うたたねをしている炊事婦の目を盗んで、おにぎりをそれぞれに配給したり、内緒で冷たい缶《かん》ジュースを買って来て配り合ったりした。そうやって何日かが過ぎた。

道路の大がかりな補修工事も、いよいよあと二日で終わるという日のことだった。いつものとおり、飯場で麦茶を飲んでいると、それまでずっと寝たきりだった男が、よろよろと起きあがって来て、ぼくを呼んだ。何かにつかまっていないと立っていられないように見えたので、ぼくは男の腕を支えて元の蒲団にまでつれて行き、そっと寝かせてあげた。男は枕の下から一通の封筒に入った手紙を出し、あした仕事が済んだら、すまないがどこかのポストに入れてくれないかと言った。なんだそんなことかと思い、ぼくは間違いなくポストに投函《とうかん》することを約束して、手紙をズボンの尻ポケットに入れた。ふと枕元を見ると、トマトが五つ、袋の中に入ったままになっている。ぼくが買って来てからもう六日もたっているというのに、トマトの数は減っていないのである。不審に思って、ぼくは男に訊いた。

「トマト、食べへんかったんか？」

男は力弱く頷《うなず》いて、薄く笑いを浮かべ、袋の中からトマトを一個取り出して胸の上に大事そうに置くと、両手で撫《な》でたりさすったりした。

「いつまでも置いといたら腐ってしまうでェ」

トマトは買ったときに比べると、青い部分が取れ、熟れて崩れかけていた。男は無言でトマトを胸に抱いたまま、必ず忘れずに手紙を出しておいてくれるようにと念を押した。ぼくは約束して立ちあがり、歩いて行きながら何気なく男のほうを振り返った。男の目がぼっと光っていた。男は目にいっぱい涙をためて、トマトを両手に包み込み、それを強く抱きしめているのだった。ぼくは、男が食べるためにトマトを買ったのではないのだと気づいたが、それならばいったい何のために、あれほどトマトを欲しがったのだろうと考えた。ぼくは男のところにまた歩み寄って、やっぱり早く医者に診てもらうようにと言った。

「わしゃあ、もうそんなに長いことはありませんのです」

男はそう言って顔をそむけた。

ぼくは炊事場で麦茶を飲み、ヘルメットの紐《ひも》をきつくしめ直してから、尻ポケットに突っ込んだ手紙を出して眺《なが》めた。宛先《あてさき》は鹿児島《かごしま》県で、川村セツ様とボールペンで書かれた下手くそな字が読めた。差し出し人の住所は書いてなくて、ただ江見弘という名前だけがあった。ぼくは、男の本名を初めて知った。現場主任が、早く持ち場につけと大声でぼくに怒鳴っていた。ぼくは手紙を尻ポケットにしまい、大急ぎで交差点まで走った。その夜はぼくが交差点の真ん中に立つ日だった。最初の夜と違って、出入りするダンプの数も減り、ブルドーザーも一台だけが動いていた。古いアスファルトはすべて掘り返され、あとはその跡に新しいアスファルトを敷きつめるだけだった。仕事は順調に進んだ。いつもは風ひとつないのに、その夜は涼しい西風が吹いて、汗もそれほどかかずに済んだ。

夜中の二時過ぎだったと思う。遠くから救急車のサイレンが聞こえて来た。こんな場合は、東西へ行く車も、南北へ行く車もすべて停《と》めて、救急車を通すことになっていたから、ぼくたちアルバイト学生は一斉《いっせい》に停車の合図を出し合った。救急車は交差点の真ん中に来ると、そこで停まった。飯場の入口から例の炊事婦が救急車に手を振り、伊藤と主任が、走って来た。

「まだ脈がおますのや」

と主任が救急隊員に言って、また飯場に走り戻《もど》って行った。救急隊員がタンカを降ろし、飯場に向かった。救急車が、まさかこの工事現場を目ざしてやって来たのだとは考えもしなかったので、それぞれの持ち場にいた学生たちは慌《あわ》てて、ぼくの傍まで走り寄って、停めている車をどうしたらいいのかと話し合った。飯場にいるのは、炊事婦以外、あの江見という男だけだったから、きっと彼の身に何かが起こったに違いないと思い、ぼくは四人に病人が出たので救急車が来た、申し訳ないが救急車が出てしまうまでそのまま待ってもらいたい、それぞれの車の運転手にそう頼むしかあるまいと言った。四人は一斉に散って行き、車の窓から首を出して、どないなってんねんとか、早よ行かさんかいとか、不満の言葉を吐き出している運転手たちに、ひとりひとり説明して歩いた。タンカに乗せられた江見が救急車に運びこまれ、現場主任が一緒につきそって車に乗った。救急車はたちまち北のほうに去って行き、もとどおり、停滞していた車が動き出すと、ぼくは横に立っていた作業員に誘導灯を手渡し、すぐに帰って来るからと言って、飯場に向かって走って行った。飯場に駈《か》け込むと、丸々と太った炊事婦が、放心したように、男の寝ていた場所を見つめて立ちつくしていた。ぼくは万年床の敷かれている部屋の電気をつけた。男の寝ていた蒲団のまわりは、血の海のようになり、その中に腐りかけたトマトが五つ転がっていた。

「どうしたん？　なァ、あの人、どないしたん？」

ぼくは気味悪そうにあとずさりして行く炊事婦の肩をつかんで訊いた。

「判らへん。おにぎりを作っとったら、呻《うめ》き声が聞こえてん。電気をつけて奥をのぞいたら、潮噴くみたいに血ィ吐いとったんや」

畳の上一面にひろがっている血の中のトマトは、まるで男の口から噴き出たという多量の血の丸いかたまりのように見えた。あれはトマトなんだとぼくは自分に言い聞かせたが、それでも血のかたまり以外の何物にも見えなかった。ぼくはまた交差点の持ち場に帰り、作業員に礼を言って、自分の仕事に戻った。まだ脈がおますのやという現場主任の言葉を思い出し、きっと男は死ぬだろうと思った。もしかしたら、もう死んでしまったかも知れない。ぼくは通過して行く車を慣れた動作で誘導しながら、男が涙を隠して言った言葉を、思い起こした。男は、わしゃあ、もうそんなに長いことはありませんのですと言ったのだった。きっと自分の死期の極めて近いことを悟っていたのだろうとぼくは考えた。そのときうしろからぽんと肩を叩《たた》かれた。振り返ると伊藤が立っていた。

「ここは俺《おれ》が立っとくから、飯場に行って、手伝うてやってくれへんか」

と伊藤は言った。血に塗《まみ》れた蒲団を燃やし、何枚かの畳を起こして洗うのだという。炊事婦は気味悪がって、どうしても部屋の中に入ろうとはしない、だからお前と作業員の二、三人で蒲団を焼き、畳を起こしてホースで血を洗い流してくれと言うのだった。ぼくは命じられたとおり、飯場に向かおうとすると、伊藤はぽつんと言った。

「あいつ、病院に着いてからすぐに死によったでェ」

「……死んだんですか?」

伊藤は黙って頷くと、早く行けというふうに顎《あご》をしゃくった。ダンプが二台交差点に入って来て、最後の補修部分を敷きつめるための、湯気のあがっている新しいアスファルトを降ろし始めた。

ぼくとふたりの若い作業員は、蒲団に灯油をまくと火をつけた。それから畳をはがして飯場の前の空地に持ち出し、ホースとタワシを持って、かたまりかけて黒ずみ始めている大量の血糊《ちのり》を洗い流した。そうしているとき、救急車に乗り込んで病院へ行っていた主任が帰って来た。

「あしたの朝までに、仏さんを引き取ってくれっちゅうことや」

と誰に言うともなくつぶやきながら、男の寝ていた場所に行き、男の遺品を集め始めた。遺品といっても、小さな石鹸箱《せっけんばこ》に入った簡単な裁縫道具、黄色く変色した数枚の下着、それに残高わずか八十六円の預金通帳と印鑑だけだった。主任はそれらを持つと、畳を洗っているぼくの横に立って、印鑑の文字に見入った。

「江川て名乗ってたけど、判こは江見になってるなァ」

主任は言って、舌打ちをした。

「仏さんを引き取っても、家族がどこにおるのやら、郷里はどこやら、さっぱり判《わか》らへんがな」

ぼくは、江見から手紙を預かっていることを言おうとしてホースを地面に置くと、ズボンの尻《しり》ポケットに手を入れた。ぼくははっとして尻ポケットの中をさぐった。手紙はなかった。ぼくはズボンのあちこちのポケットをさぐり、シャツの胸についている小さなポケットまで手を差し入れた。ぼくはどこかで手紙を落としてしまったのだった。ぼくは自分の行き来した場所の周辺と、きょうの持ち場だった交差点のところとを必死で捜しまわったが、手紙はみつからなかった。飯場に全速力で走り戻り、炊事婦に、このあたりに手紙が落ちていなかったかと訊《き》いた。女は、知らないと答えて、いつにないひきしまった顔つきで、おにぎりを握りつづけていた。狼狽《ろうばい》して、同じところを行ったり来たりしているぼくを見て、主任はどうしたのかと訊いてきた。ぼくは出かかった言葉を押し殺し、

「手紙を落としたんです」

と言った。江見の手紙と言おうとして、やめたのだった。

「手紙……？　大事な手紙かいな」

「ええ」

ぼくは泣き出しそうになっていた。川村セツ様というボールペンで書かれた下手くそな字が心に浮かんだ。ぼくはまた走り出し、交差点の、さっきまでぼくが立っていた場所に戻ると、ブルドーザーの運転手に怒鳴られながらも、地面に目を落として、うろちょろと駈け廻った。さっきまで、掘り返されて瓦礫《がれき》だらけだった幅広く浅い穴には、真新しい真っ黒なアスファルトがきれいに敷き詰められ、作業員がその上に水を撒《ま》いていた。ぼくは慄然《りつぜん》たる思

いで、その新しいアスファルトの道を見つめた。ぼくは、ここで手紙を落としたのだ。そうとしか考えられなかった。そして手紙は熱いアスファルトの下に永久に閉じ込められたのだ。きっとそうに違いない。ぼくは半分べそをかいたような声で、ブルドーザーの運転手に叫んだ。

「頼みます。このアスファルト、もう一回はがして下さい。この下に手紙が落ちてるんです」

運転手はブルドーザーのエンジンを切ると、ぽかんとぼくを見つめた。ぼくは運転台に駈け昇り、同じ言葉で哀願した。言っているうちに本当に涙が流れてきた。ブルドーザーの運転手は、伊藤と顔を見合わせていたが、やがて、

「お前はアホか。このアスファルトをもう一回はがせて言うんかい。七メートル四方あるんやぞォ。そんなもん、やり直すだけでお前の給料の百倍ぐらい飛んで行ってしまうぞォ」

「そやけど、大事な手紙を落としたんです。きっと、この下にあるんです」

ぼくは運転手の太く固い肩をつかんで、必死に頼んだ。

「おい、伊藤さん、こいつ、ちょっと頭がおかしいでェ」

運転手はぼくを片手で軽く振りほどくと、再びエンジンをかけて、もうぼくがどれだけ取りすがっても相手にしてくれなかった。

「なんや、どないしたんや」

騒ぎを聞きつけて、主任が肉饅頭《にくまんじゅう》のような体を揺らしてやって来た。伊藤がわけを説明した。ぼくはその間《かん》、小刻みに震えている体のあちこちを、手で撫《な》でさすりながら立っていた。主任は持っていた計算尺で、ぼくのヘルメットをこつんと叩いて言った。

「ほんまに、ここに落としたんか？」

「……はい」

「もうあきらめるんやなァ。アスファルトをはがしてくれなんて、そんな無茶なこと言うな。アホンダラ」

そして、伊藤に言った。

「江見弘いうのが、どうも本名みたいやなァ。預金通帳の名義がそうなっとった」

「何の病気でしたんや？」

伊藤が訊いた。

「食道の静脈が破裂したそうや。肝臓がとことん悪《わる》なると、最後はそういうふうになるらしい」

「肝臓が悪かったんでっか」

「末期の肝硬変で、どっちにしても、もうそない長いことなかったやろて医者が言うとったわ」

工事がすべて完了した朝、労務者やぼくたち学生アルバイトや、建築会社の作業員は、飯場に集まってビールで乾杯した。主任は約束どおり、よく働いてくれたからと言って、ぼくたちに十日分の給料以外に、それぞれ一万円ずつの祝儀《しゅうぎ》をつけてくれた。

「御苦労さん、もう帰ってええでェ。こっちはこの飯場を取りこわす仕事がまだ残ってるけどなァ」

主任はそう言って、紙コップの中のビールを飲み干すとさっさと事務所への階段を昇って行った。十日間、一緒に働いた学生たちは、一緒に伊丹駅まで出ようと誘ってくれたが、ぼくは万が一にも、どこかにあの手紙が落ちてはいないものかと、もう一度飯場の周辺の草むらや、きれいに舗装された十字路の隅《すみ》を見て廻《まわ》った。真夏の朝日が、烈《はげ》しい疲れを宿したぼくの体に照りつけた。死期を知った江見弘は、最後の力をふりしぼって、川村セツという女に手紙を書いたのだ。ふたりが、どんな関係であったのか、ぼくには判らない。けれども、きっとあの下手くそな字で書かれた手紙には、ふたりにとってとても大切なことがしたためられてあったことだろう。ぼくは、何とか宛先の鹿児島県という字の次に書かれていたものを思い出そうと努めたが、まったく覚えていないのだった。また仮に覚えていたとしても、ぼくはその手紙のことを、どうやって川村セツという女性に説明したらいいだろう。ぼくは仲間たちが去ってしまってからも、長い間、工事現場のあちこちをほっつき歩いた。ぼくは地面と照りつける朝日を、何度も交互に見つめた。

大学を卒業してこの広告代理店に勤めるようになってからも、ぼくはどうかした瞬間、男がトマトを両手に握りしめて涙ぐんでいた姿を思い出してしまう。スポンサーと打ち合わせをしているとき、それは突然ぼくの心に膨れあがる。終電車の座席に腰かけて、酔った頭で窓ガラスに映る自分の顔を眺めていると、血の海の中に転がっていた腐った五つのトマトが、猛烈な勢いで目の前を走り過ぎる。すると決まって、鹿児島県、川村セツ様という文字が体の奥深くから亡霊のように、浮きあがってくるのだ。そんなとき、ぼくはまるでそれが自分の病気みたいに、あの男にとって、トマトはいったい何であったのか、手紙にはあの男にとってどんな大切なことが書かれてあったのかと考え込んでしまう。あの手紙は必ず、伊丹の昆陽《こや》の、大きな交差点のアスファルトの下に、いまも埋まっていると、ぼくは確信している。トマトを見ると、あのときのことを思い出して哀《かな》しくなるというのではない。血のかたまりみたいだった腐った五つのトマトの映像が、ぼくを気味悪くさせるというわけでもない。けれども、ぼくはあれ以来、ただのひときれも、トマトを食べたことがない。

眉《まゆ》墨《ずみ》

買ったばかりの薄いむらさき色のワンピースを着た母と、水色のリボンの飾りがついた麦わら帽をかぶった叔母は、車の後部座席に正坐《せいざ》して、何か忘れ物はないかと話し合っていた。

「もうええわ。足らん物《もん》があったら、向こうで買《こ》うたらええねやさかい」

母はそう言って孫たちに手を振った。七月の十日の早朝、私と母と叔母は車で軽井沢に向けて出発した。予定では九月の末まで軽井沢で暮らすことになりそうだったので、車内にもトランクにも、思いつくありとあらゆる所帯道具がつめ込んであった。妻と子供たちは、学校が夏休みに入るのを待って、あとからやって来ることになっていた。

軽井沢で夏を過ごすことになったのは、私が前の年に結核にかかったからだった。軽井沢に住む知人が大阪の暑い夏を心配してくれ、家を一軒借りてやるから、病後の体をじっくり休めたらどうかと勧めてくれたのである。私は自分の体のことより、近年めっきり弱ってきたように思える母の体が心配だった。母にそのことを言うと、

「夏は暑いもんと決まってるがな。軽井沢みたいなお金持の行きはるとこ、私らが勿体《もったい》のうて行けますかいな」

口をすぼめて私をたしなめた。だが母は母で私の体のことを考えたらしく、それからしば

らくして、

「私はべつに行きたいことはないけど、お前がどうしても行くと言うのなら、ついて行ってやってもええでェ。ご飯ごしらえをする者《もん》がおらんと、三ヵ月も生活でけへんがな」

と言った。

「せっかく行くんやから、とめさんも誘《さそ》てあげよか。あの人も夏はこたえるらしいから」

母はそう言うと、すぐに叔母に電話をかけた。四年前に息子に先立たれて、尼崎《あまがさき》のアパートでひとり暮らしをしている叔母は、大喜びで誘いに応じた。叔母は死んだ父の妹だった。

「とめさんなァ、軽井沢いうたら、お天子様の行きはるとこや。そんなええとこで三ヵ月も暮らせるなんて夢みたいやて言うてたわ」

軽井沢行きが決まると、母は急にはしゃぎだした。早速、持って行く物をダンボール箱に積め込む作業にかかった。

車の中で、母と叔母は昔話ばかりしていた。私は運転席でふたりの話を聞きながら、いままで誰《だれ》にも話さなかった事柄《ことがら》を、母が何の屈託もなく口にしているのを不思議に感じていた。母は私が高校生のとき、自殺をはかったことがあったのだが、その際の状況を、いかにも適切な言葉が浮かばなくてもどかしいというふうに早口で喋《しゃべ》った。

「お父ちゃんはよそに女をつくっておらんようになってしまうし、商売はあかんようになるし、毎日毎日借金取りは来るし、ええい、もう死んでしもたれと思てん」

「あんた、きっと頭がおかしいになってたんやわ」

と小太りの叔母が丸い目をいっそう丸く見開いて、当時を思い出しているような口振りで相槌《あいづち》をうっていた。私はときおりバックミラーでふたりの様子を見ていた。

「この子ももう高校生や。私がおらんでも生きて行くやろ。そうや死んでしまお。そう決めたら、こんどはどこで死のうかと考えてん。尼崎のとめさんのとこで死のう。あそこやったらバスで三十分もあったら行けるし、死骸《しがい》のあと始末もちゃんとやってくれるやろ。それで、薬局でブロバリンの百錠入りを買《こ》うて阪神バスに乗ってん。暑い日やったわ」

「私の家で死のうと思たのは、きっと何かのおはからいやなァ」

「東難波《なにわ》で降りたら、ちょうどバス停の前に食堂があってん。そうや、死ぬ前に何かおいしい物を食べとこ、そない思て中に入って鰻丼《うなどん》を註文《ちゅうもん》して、お酒も一本頼んだんや。末期《まつご》の酒のつもりやってんやろなァ」

母は両手で口元を押さえて笑った。首をすくめて笑うと、薄い布地越しに、瘦《や》せた肩の輪郭が浮かび出た。四十五キロあった体重が、わずか半年ばかりの間に三十五キロに減ってしまって、どこか悪いのではなかろうかと病院へ行って診てもらったが、母は心臓の動悸《どうき》だけを訴えて、ほかはどこも痛くもないし、具合の悪いところもないと医者に言った。心電図をとったが異常はなく、医者は精神安定剤をくれただけだった。

本格的な夏の到来を思わせる日で、名神高速道路を走っているときはクーラーをかけていたが、名古屋の手前で中央自動車道に入り、しばらく行くうちに空気はひんやりしてきた。中津川を過ぎると木曾《きそ》の山々が展《ひろ》がり、クーラーを切って車の窓をあけた。

「鰻丼を食べてから、さあ、これから死ぬんやなァ、そう思いもってあんたのアパートの階段を昇って行ってん。うまい具合にあんたは留守やったし、部屋には鍵《かぎ》はかかってないし、よし、死ぬのはいまや。私、そない思てん」

「怖いことなかったか？」

と私は訊《き》いた。

「怖いことなかってん。その、怖いことなかったということが、いまになって思うと、なんやしらん怖《こ》わァなってくるねん」

あとに残していく自分のひとり息子のことも、そのときはもう念頭になかった。ただこれまでの来し方が、ひとつながりの鎖みたいに思い出されて来たと母は言った。生まれてすぐに母が死に、子供のなかった隣家のパン屋の夫婦に貰《もら》われたこと。他人の子を貰っておきながら、その夫婦が自分を九歳のときに奉公に出したこと。あとで判《わか》ったのだが、その奉公先が俗に言う淫売宿《いんばいやど》だったこと。

「本名で呼ばれんと、豆ちゃんいう名をつけられて、朝の六時から晩の十時十一時までこき使われたんやで。たった九つの子供がやでェ。自分のことながら可哀《かわい》そうになってくるわ」

「そのままそこで働いてたら、あんた娘になったらきっと客をとらされてたやろなァ」

「そうやねん。あんなとこに置いてたらあかん。早いことつれ戻《もど》せと言うてくれる人があって、危ないとこで家に帰られたんや」

中央自動車道は車が少なかった。八月に入ると上高地や軽井沢に向かう車で混雑すると聞いていたが、いまは荷を運ぶトラックの定期便が、慣れた運転ぶりで、左側車線を標示速度を守って走行しているだけだった。スピードを落とすようにと、ときおり私の耳元で命じながら、母は話しつづけた。

「九つの子ォやろ。朝から晩までこき使われてるから、ついつい居眠りをしてしまうねん。そしたらそんな私にお女郎さんが悪さをするんや。やかんをくくりつけた紐《ひも》の先を、私の髪の毛に結んどいて、大声で、豆ちゃん用事やでェ、起きるんやでェ。慌《あわ》てて飛び起きて寝呆《ねぼ》けまなこでお上《かみ》さんの部屋に走って行ったら、私と一緒にやかんもがらがら音をたててついて来るねん」

叔母が身をよじらせて笑った。

「あんた、笑てるけど、私、あのやかんの音、いまでもよう忘れんわ」

「とめおばちゃんの部屋で、薬を飲んだ瞬間、どんなことを考えた？」

と私は訊いた。

「何にも考えへんかった。しばらく横になってるうちに眠ってしもた」

「市場から帰って来たら、あんたの靴《くつ》があったから、ああ、雪ちゃんが来てるわァと思て声をかけたんや。そしたら返事があらへんやろ。いやァ、よう寝てるわァと思いもって覗《のぞ》き込んだら、ちょっと様子がおかしいねん。畳の上に空《から》の薬の壜《びん》が転がってるし、雪ちゃん、雪ちゃんて揺り起こしたら、うっすら目ェあけて、私、薬飲んでん。そない言うてまた眠ってしもたんや」

「あんた、びっくりしたやろなァ」

「びっくりしたどころの騒ぎやないでェ。足は震えるし、顔はひきつってくるし、どうやって公衆電話のとこまで走って行ったんか覚えてないわ。指も震えて、百十九番が廻《まわ》されへんかったわ」

母が意識を取り戻したのは、病院にかつぎ込まれて十時間後だった。叔母から知らせを受けた私は、ただ恐しくて、自分の家の押入れの中でひと晩中うずくまっていたのである。病院に行けば、母が死んでしまうような気がしたからだった。

「不思議なことがあってんでェ」

と母は言った。

「眠ってるあいだに、ひとつだけ夢を見てん。私、誰にも言えへんことやったけど、その奉公に出されてるとき、いっぺんだけお店のお金を盗んだことがあるねん。何十年も昔のことで忘れてしもてて、思い出したこともないのに、その死ぬか生きるかというときに思い出してん。九つの自分が、薄暗い帳場の抽斗《ひきだし》から小銭を盗んでるとこが、夢の中に映ったんや」

「私ら、ほんまに最低の人間やわ」

叔母がいつものののんびりした口調でつぶやいた。

「貧乏な家に生まれて、教育もろくに受けんと、しょうもない人生をおくって来たわ」

「あんたも、私もなァ……」

母も同じような口振りで応じた。

「働いて働いて、亭主《ていしゅ》に苦労して、おまけに睡眠薬自殺まではかって……。あっという間に七十になってしもた。それが軽井沢で避暑やて、あのとき死なんでほんまによかったわァ」

途中で何度も休憩したので、軽井沢に着いたのは夜の八時だった。軽井沢は霧が深かった。軽井沢駅の公衆電話で、家を世話してくれた知人に到着した由《よし》を伝えると、すぐに車で迎えに来てくれた。国道を中軽井沢のほうに戻って塩沢通りという道に入り、車が一台やっと通れるくらいの小径《こみち》を折れた。霧深い樹林の中で、まだ持主のやって来ていない別荘が黯《くろ》く滲《にじ》むように点在していた。樹《き》や草の匂《にお》いの混じった冷気が心地よく、車のライトが黄色く煙って、あしたからの軽井沢での生活が、ひどく楽しいものになるような気がした。

私たちの借りた家は小径を百メートルばかり行ったところにあった。鬱蒼《うつそう》とした樹々に囲まれた木造の平家で、板の間の台所兼食堂が真ん中にあり、畳敷の六畳の部屋と風呂《ふろ》と便所がそれを挟《はさ》むように配置されていた。知人は私に鍵を渡すと、朝晩はかなり冷え込むかも知れないから、あした石油ストーブを持って来てやると言って帰って行った。一年間、人気《ひとけ》のなかった家は湿って黴臭《かびくさ》かったが、それすらも私の心をなごませた。叔母は古ぼけた籐椅子《とういす》に坐《すわ》って、朝からずっとかぶったままだった麦わら帽をテーブルの上に置くと、

「まだ体が揺れてるわ。なんやしらん気分が悪い」

と訴えた。

「十何時間も車に乗ってたんやもん。今晩ゆっくり寝たら直るわ。私は元気やでェ。私はこう見えても、乗り物には強いんやさかい」

母は言って、持って来た荷物の整理を始めた。しばらくダンボール箱の中味を出す作業をつづけていたが、突然あっと声をあげて私を見た。

「眉墨《まゆずみ》を忘れてきてしもた」

「眉墨……？」

「どないしょう。あれがないと困るねん」

「今晩ひと晩くらい塗らんでも、かめへんやないか」

私がそう言うと、母は哀願するように両手を合わせ、

「駅の近くに化粧品屋はないやろか。いまから買いに行くから、車に乗せてェな」

しぶっている私に、母は何度も頼み込んだ。先に寝ているという叔母を残して、私と母はまた車で軽井沢駅の前まで行った。霧はさらに濃くなって、前を走る車のテールランプだけがおぼろに光っていた。ちょうど駅の前に雑貨屋があり、化粧品メーカーの小さな電飾看板

に灯《ひ》が入っていた。

母が、寝る前に自分の眉に墨を塗るようになったのはここ一、二年のことだった。母の頭髪は真っ白で、そのうえ眉毛まで白くなった。頭髪は黒く染めていたが、眉は染めるわけにはいかない。昼間は白いままで放《ほう》っておくのだが、寝床に入るとき、蒲団《ふとん》の上に正坐して、念入りに眉墨を塗るのである。私や妻がその訳を訊いても、母はただ照れ臭そうに笑うだけで何も答えなかった。私は母が雑貨屋から出て来るのを待ちながら、車を降りて、初めて見る軽井沢の町を眺《なが》めた。駅前から真っ直ぐ伸びる通りの両脇《りょうわき》には、食堂や洋品店らしいものが見えていたが、霧にかすんで人の姿は見えなかった。着ているセーターが湿って、毛糸の匂いをかすかに感じた。ふいに淋《さび》しくなってきたが、朝になって霧が晴れ、眩《まぶし》い木洩《こも》れ陽《び》を見たらまた楽しい気分になれるだろうと思った。上野からやって来たらしい列車が駅に停《と》まったが、降りて来る人はまばらだった。

あくる日は良い天気で、私たちはベランダに出て縞《しま》模様になって降り注いでいる光を眺めながら朝食をとった。叔母は元気を取り戻し、朝早くひとりであちこちを散策して摘んできた花を牛乳壜に活《い》けた。ところが、こんどは母が胃の痛みを訴えた。左の脇腹を押さえて昼近くまで顔をしかめ通しだった。

「長いこと車に揺られたから、胃がびっくりしたんやわ。すぐに直るわいな」

叔母にそう言われて、母はやっと籐椅子から立ちあがり、ふたりでまた花を摘みに出かけて行った。私は、午后《ごご》はずっと本を読んで過ごした。読み疲れると、塩沢通りの中程にある喫茶店に行って珈琲《コーヒー》を飲んだ。そうやって三日が過ぎた。その三日間はずっと天気が良く、私はきっとこのひと夏で完全に健康を恢復《かいふく》することだろうと思い、嬉《うれ》しくて仕方がなかった。

軽井沢に着いて五日目、朝から烈《はげ》しい雨が降った。雨が降ると、にわかに家のまわりの景観は陰鬱《いんうつ》になった。濡《ぬ》れて黒ずんだ梢《こずえ》の葉叢《はむら》に取り囲まれて、私たちのいる小さな家はどこかの山奥に孤立しているような暗さと静寂に包まれてしまった。終日、石油ストーブなしにはいられなくなり、母と叔母は膝《ひざ》に毛布を掛けて、ガラス窓越しに、降りつづく雨ばかり見つめていた。

「どこか近所に病院はないやろか」

と母がぽつんとつぶやいた。

「まだ胃が痛いのか?」

私の言葉に、母は心細そうな顔で頷《うなず》いた。耐えられぬほどの痛みではないが、いままでに経験したことのないような嫌《いや》な痛さなのだという。

「せっかく軽井沢に来たのに、楽しいことあらへん」

私は知人に電話をかけて訳を話し、近くに病院はないかと訊いた。すると私のいるところから車で五分ほどのところに軽井沢病院という大きな病院があるという。私は車に母を乗せて、その病院に行った。町はまだ閑散としているのに、病院だけは満員だった。診察を終え

て出て来ると、

「あした、バリュウムを飲んで、胃のレントゲンを撮るそうや」

母はいっそう心細そうに言った。

翌日、私が目を醒《さ》ますと、叔母だけがベランダの籐椅子に坐って新聞を読んでいて、母の姿はなかった。叔母に訊くと、歩いてもたかがしれているので、ひとりで病院に行ったのだという。雨はあがっていたが、霧がたちこめて、カッコーの鳴き声が近くで聞こえていた。樹の枝から枝を伝っていく栗鼠《りす》を見つけて、叔母はひとりではしゃいでいた。迎えに行ってやろうかと考えているうちに母は帰って来た。母は私の顔を見るなり言った。

「私、癌《がん》やて」

私はしばらく無言で母の顔を見つめた。冗談を言っているのではなかろうかと思えるくらい、母の顔には暗さがなかった。

「医者がそう言うたんか?」

「言えへんけど、顔に書いてあった。あのお医者さん、嘘《うそ》つくのへたやね。にこっと笑うて、私、癌ですかって訊いたら、目ェ丸うさせて、あやふやに口を濁しはんねん。ほんでから、あとで息子さんに来てもろてくれやて……」

私は慌てて車を運転して病院まで行った。看護婦に名前を言うと、すぐに診察室に呼ばれた。若い医者は看護婦にレントゲンのフィルムを持ってこさせると、私に見せた。

「これなんですがねェ」

医者は、胃の真ん中にはっきりと映っている直径二センチくらいの黒い影を指で示した。

「きのう触診したとき、手に触れたんですよ。それで撮ったんですが、影の感じから言うと、盛りあがってる物で、潰瘍《かいよう》だとは思えないんです」

「母は、私、癌らしいって、そう言うんですが……」

私は幾分非難のこもった目を向けて言った。医者は確かに母が言ったように、私にも目を丸くさせて口ごもった。善良そうな男だったが、どこかに真摯《しんし》なものが欠けていそうな目をしていた。

「私はそんなこと言わなかったつもりですがねェ」

そう弁解してから、医者はフィルムに目を移しながら、

「でも、そうなんですよ」

とつぶやいた。

「あした、胃カメラで診て、組織も採ってみますが、まず間違いないと思います」

「そうなると手術ということになるんでしょうね」

「勿論《もちろん》取ってしまわないといけないでしょうね」

「手術をしたら直る段階でしょうか」

「かなり早期のものだとは思いますが、切ってみないと判《わか》りません」

私は呆然《ぼうぜん》として長いこと医者の肩のあたりを見やっていた。そして、もうすぐにも大阪に帰ろうと思った。すると医者はカルテを見て、

「大阪からお越しになったそうですが、どうしますか。こっちで手術をするか、大阪に帰られるか……」

と私に訊いた。

「先生はどっちがいいと思われますか」

「そちらのご都合次第ですが、私は術後のことを考えると、気候のいいこっちで切るのを奨《すす》めますねェ」

「癌の場合、痛みだしたらもう手遅れだと聞いたんですが……」

「胃が痛んだのは、たぶんこの癌のせいではないと思います。まだそこまで行ってませんよ。何か他《ほか》の理由で痛んで、それで病院に来る気になったんでしょう」

「母は七十歳ですが、そんな歳《とし》で手術に耐えられますか」

医者は笑って言った。

「いま七十といえば、まだ若いですよ。手術には充分耐えられます。まあ他に悪いところがなければの話ですが。それも検査してみます」

病院を出ると、霧は晴れて薄陽が差して来ていた。心なしか国道には車が増えたようだった。自転車に乗った若い娘たちが通り過ぎて行った。道端で咲きかけているコスモスが、涼

やかな風になびいている。軽井沢の夏が始まったのである。濃密な緑の樹々が左右にどこまでもつづいている塩沢通りに入ると、私は車を道の端に停めて煙草《たばこ》を吸った。九分九厘《りん》、癌に違いなかろうと私は思った。大阪に帰るか、それともこの軽井沢にとどまって手術をするか、私は運転席に坐ったまま長いあいだ思案していた。捕虫網を持った子供が、じっと私の車の屋根を睨《にら》んでいた。窓から顔を出して車の屋根を見ると、黒い大きな蝶《ちょう》がとまっている。子供は私に遠慮しながら、その蝶を狙《ねら》っているのだった。テニスウェアを着た娘たちが何人も自転車でやって来て、

「わァ、大きな蝶々」

「坊や、頑張《がんば》って」

などと声を掛けていった。その娘たちに驚いたのか、蝶は子供の頭上を舞って樹林の中に消えてしまった。子供は目を光らせ、腰をかがめて樹林の中に走って行った。たとえ母がいかに癌であることに気づいていようとも、私は断じてしらを切り通そうと決めた。私は何度も自分の心にそう言い聞かせながら、蝶と子供の消えていった樹林の奥を見ていた。私はふと十数年前に死んだ父のことを思った。父はよく母をなぐった。子供の頃《ころ》は、そんな父にただ怯《おび》えるだけだったが、成長するにしたがって、私は父を憎むようになった。あのときも、あのときも、父は力まかせに弱い母をなぐったではないか、そんな目で私は父を見るようになっていったのである。私は父が死ぬまで、そうやって憎みつづけたのだが、車の中からぼ

んやりと夥《おびただ》しい緑のちらつきに目を注いでいると、なぜか父にすがりついて行きたい気持になった。父を憎んだ自分を責めるような気持になった。なぜそんな気持にひたったのか、私には判らなかった。車を発進させて家への小径を曲がり、ゆっくり進んで行くと、前方にひとりの老婆《ろうば》が立っているのが見えた。杖《つえ》をついて片方の手に小さな紙包みを持っている。茶色の着物の上に同じ色の毛糸の羽織を着た小柄《こがら》な人だった。どうやら老婆は私の家を覗《のぞ》き込んでいた様子で、私が車を庭の奥に停めて降りて来るのを見ると、ためらいがちに頭を下げた。

「なんでしょうか……」

私は傍《そば》に行ってそう訊《き》いた。老婆は私の借りた家のうしろに建っている三角屋根の瀟洒《しょうしゃ》な別荘を指さして、あの家に住んでいる村越という者だが、お近づきのしるしにと思い胡桃《くるみ》を少々お持ちしたのだと言った。

「御年配の方のお姿がちらっと見えましたものですから、年寄り同士仲良くなれたらと思いましてねェ」

私は礼を言って、胡桃の入っている紙包みを受け取った。

「母と叔母がおりますが、こっちに着いてから母のほうが体を悪くして、ずっと寝込んでしまいまして」

「まあ、それはいけませんわねェ。お母さま、お幾つでいらっしゃいますの？」

「七十です」

「わたくしは八十四になります。軽井沢に来るようになりましてからもう二十年近くたちますけど、こんなに梅雨の長い年は珍しゅうございますわ」

村越と名乗った老婆は残念そうに私の顔を見やって、危なっかしい足取りで小径を戻《もど》って行った。私は何か申し訳ない気持になって、村越夫人と並んで歩きだした。径を少し行くと、さらに細い小径が左側に伸びていた。ぶ厚い腐葉土の上に、落ちたばかりの緑色の葉が敷きつめられた小径だった。小径の両側には白樺《しらかば》の木の混じった林がつづいていた。

「四月に来たものですから、もう何ヵ月も淋しい思いをいたしました。毎年おみえになる別荘の方たちも、若い方ばっかりで、こんな年寄りと仲良くして下さる人はいないのでございますよ」

「ひとりで暮らしていらっしゃるんですか？」

と私は訊いた。

「女中がひとりおりますが、あんまり話をすることもなくって……」

「母が元気でしたら、お友だちになっていただけたのですが」

言葉の訛《なま》りで気づいたらしく、村越夫人は歩を停めて、微笑《ほほえ》みながら私を見あげた。

「まあ、関西からお越しになったのでございますか？」

「ええ、大阪です」

「遠くからおみえになりましたのに、お体の具合が悪くて、あいにくでございますわねェ」

村越夫人は毎年四月に来て、十一月の始め頃まで滞在するのだと言った。昔と違って、夏の軽井沢は人が多く騒々しくていけない、自分は初夏と秋の軽井沢が好きなので、四月から十一月まで過ごすのだとも説明した。

「御家族の方はおみえにならないのですか？」

私の問いに、村越夫人は少し小首をかしげるようにして答えた。

「ときどきやって参りますが、別荘には泊らずに万平ホテルに部屋をとりますの」

何か事情がありそうで、私はそれ以上訊かなかった。すると村越夫人は林の向こうを指さした。

「ここから、夕日が落ちて行くのが見えるのですよ。朝日の木洩れ陽もいいものですけど、夕日の木洩れ陽も、なかなかいいものでございます」

村越夫人は深々と頭を下げて、小径を帰って行った。私は家に戻ると、村越という老婆が胡桃を持って訪れたことを母に伝えた。

「どんなお婆さんやのん？」

「上品そうな人やでェ。もう二十年も軽井沢に来てるそうや」

「ざあます、ざあますて言いはるんか？」

「いや、そんな人とは違うなァ。言葉遣いは丁寧やけど」

「ふうん、そらよかった。ざあますなんて言われたら、どもならん。お母ちゃん、そんな人とつき合《お》うたことないよってになァ……」

それから母は医者はどう言ったのかと質問した。

「癌なんかやあらへんがな。胃潰瘍や。そやけど薬で直る程度のもんと違う、手術せんとあかんやろ、そない言うてはったわ」

「手術なァ……」

「どうする？　大阪へ帰るか、それともこっちで切るか」

母はしばらく考え込んでいたが、ふいに顔をあげて私の目を見つめ、

「お前は他人に嘘《うそ》をつくのはうまいけど、私にはよう嘘つかん子ォやなァ」

と言った。私は庭に出て、村越夫人に貰《もら》った胡桃を石で割って食べた。

次の日の朝、私は母を車に乗せて、再び軽井沢病院に向かった。叔母もひとりで待っているのは落ち着かないと言って車に乗り込んで来た。塩沢通りから国道へ折れるところに警官が立っていて、私に停まるように命じた。

「皇室の方がまもなく国道を通過されますので、申し訳ありませんがしばらくお待ち下さい」

警官はトランシーバーを耳にあてがって、連絡をとっていた。私たちは随分長い時間、そこに足停めされていた。警官はまた走って来て、

「いま中軽井沢を通過されました。もうすぐですので、もうちょっと待って下さい」

医者から指定された時間にかなり遅れそうで、私は腹がたって何も言わず煙草を何本も吸った。停車を命じられた車が何十台も国道に停まったままだった。みなうんざりした表情で、窓からときおり顔を出して皇室の人を乗せた車のやって来るのを待っていた。

「えらい違いやなァ。おんなじ人間に生まれて……」

と叔母が言った。

「ほんまやなァ。生まれてすぐに貰い子に出されて、九つで淫売宿《いんばいやど》に奉公にやられて、頭にやかんをくくりつけられて……。えらい違うどころやないがな」

母はおかしくてたまらないというふうに笑った。それから、不機嫌《ふきげん》にハンドルを握りしめたままでいる私の頰《ほお》を、うしろから両手で挟《はさ》み込み、そっと囁《ささや》いた。

「お前、心配せんときや。生きるもよし、死ぬもまたよし。お母ちゃん、ほんまにそんな気がするねん」

皇室の車が通過したらしく、国道に停まっていた車はゆっくり動きだした。警官が走って来て、

「お通りになりました。どうぞ行って下さい」

と敬礼した。

胃カメラの検査が済んで待ち合い室に戻って来た母は、ぐったりしていた。

「私は石とは違うんや。あんな物《もん》、ようもまあ人間に飲ませよるわ」

小一時間待たされて、私が呼ばれた。きのうの若い医者ではなく、中年の外科医長が説明してくれた。

「検査室で、お母さんには重症の胃潰瘍だと言っておきました」

「でも違うんでしょう？」

「ええ、違います。きのう内科の先生が言ったとおりの物だと思います。組織も採りましたが、結果が出るのは五、六日かかります。もしこっちで手術なさるのなら、もうきょうにも入院してもらいたいんですが」

「たぶん、この病院で手術してもらうことになりますが、入院は二、三日待っていただけませんか」

私は妻と子供たちをすぐにも招《よ》ぶつもりだった。学校はまだ夏休みには入らないが、休ませればいいと思った。家に帰ると、私は妻に電話をかけた。

「やっぱり、手術をすることになったよ」

と私は言った。傍で母が私をじっと見ていた。

「あした、新幹線で東京まで出て、上野から電車に乗ります」

妻はそう言ってから、

「胃潰瘍なんでしょう？」

と訊いた。私は黙っていた。私の沈黙で、妻は気づいた。えっと悲鳴に近い声をあげて、それから電話口で泣きだした。

その日一日、母は床に臥《ふ》せていた。私は何度も、

「お母ちゃん、胃潰瘍でよかったなァ。助かったなァ」

と声を掛けた。そのたびに、母は笑って頷《うなず》いていた。夕刻、母が起きてきた頃から、腹に響くような音が遠くで聞こえ始めた。私はきのう村越夫人と一緒に歩いた小径《こみち》まで行った。夕日の木洩《こも》れ陽《び》が、細い径いっぱいに溢《あふ》れていた。私は長いこと赤い木洩れ陽の中に立って林の向こうに落ちて行く太陽に見入った。杖をついた老婆が落日を見に出て来るような気がしたのだったが、誰《だれ》もやってこなかった。静寂の中で、大砲を打つような音だけが断続的に響いていた。

夜になっても音はつづいていた。叔母が表に出て私を呼んだ。

「きれいな花火があがってるでェ」

私は喫茶店で貰った夏の軽井沢の行事表を開いてみた。七月十六日は花火大会が催されるのである。

「千ヶ滝の方やなァ」

樹林に阻《はば》まれて、私たちのいるところからは花火のほんのかけらしか見えなかった。すると母が、どこかよく見えるところへつれて行ってくれと言いだした。

「花火なんて、もう何年も見たことないもん」

私たちは花火を打ちあげている場所をめざして車を走らせた。国道を千ヶ滝のほうに向かっていると、母が大声で叫んだ。

「あそこがええわ。あそこやったら車も停《と》められるわ」

その母の指示に従って車を右折させ、芝生や花壇の設けられている一角に入って行った。車を停めてから、そこが軽井沢病院の前庭であることに気づいた。

「どうも、この病院に縁があるみたいやなァ」

母はそうつぶやき、芝生の上にハンカチを敷いて坐《すわ》った。私も叔母も母に倣《なら》って並んで坐った。入院患者たちも病院のベランダに椅子《いす》を持ち出して花火見物をしていた。予想していたよりもはるかに大掛かりな花火大会であった。それはいつ果てるともなくつづいた。

「あれは菊や。ああ、あれはしだれ柳や」

母は楽しそうだった。高原の夜の風は、母の黒く染めた髪を乱れさせたが、母は芝生の上に横坐りして、瘦《や》せた首をもたげたまま塑像《そぞう》のように身動きひとつせず花火に見入っていた。花火は突然途絶え、また突然打ちあげられた。ひゅうっという音のあとに、重い炸裂音《さくれつおん》が響くと、せきを切ったように無数の色が咲いた。いつまでつづくのかと思っているうちに、黯《くろ》い空が静かに展《ひろ》がって、さあ帰ろうと腰をあげようとすると再び大輪の花が際限なく浮き出るのだった。私は母の小さなうしろ姿を見つめた。生きるもよし、死ぬもまたよし、という母の言葉が胸の中いっぱいに拡《ひろ》がってきた。私は何度も何度も、その母の言った言葉を胸の内でつぶやいた。母は心からそう思ったのに違いないと感じた。涙が出て来て、花火が滲《にじ》んで見えた。私は叔母に気づかれないよう、そっと指で涙をぬぐったが、それはあとからあとから流れ落ちた。悲しいのではなかった。

家に帰り着いたのは十時過ぎだった。途中、果物屋に寄って桃を五つ買った。母が、村越夫人に貰った胡桃のお返しをしたいと言ったからだった。叔母はあしたにしたらと言ったが、私は桃の入った紙袋を持って、懐中電灯の明かりを頼りに小径を歩いて行った。村越夫人の別荘は想像以上に敷地が広く、どこが入口なのか判《わか》らなかったが、私はかまわず林に沿って進んだ。ふいに石造りの門柱のところに出た。村越夫人は玄関の前に椅子を持ち出して坐り、夜空を見あげていたが、近づいてくる懐中電灯の光のほうに不審げに目を注いだ。私は立ち停まって光を自分の顔に当て、夜遅く訪れた失礼を詫《わ》びた。

「まあ、御丁寧に恐れ入ります。かえってお気を遣わせてしまいましたわねェ」

村越夫人は私の訪問が嬉《うれ》しかった様子で、しきりに家に入るよう促したが、私はすぐに失礼するからと断わって、さっきまで花火見物に行っていたのだと言った。

「左様でございますか。私もここに坐って花火を見ておりましたの。ここからは樹《き》が邪魔してよく見えませんけど、それでもときどき高く上がる花火だけは楽しめますのよ」

それから、毎年花火大会があるけれども、いつも別荘の玄関口に坐って見るだけで、ちゃ

よかったと思い、
んと見物したことはないのだと残念そうな口ぶりでつけ足した。私は一緒に誘ってあげれば

「もし来年も来るようなことがありましたら、そのときはぜひお誘いいたします」

と言った。村越夫人は私を見つめ、それから、ほほほと笑ったあと、

「来年もお逢《あ》い出来ればいいですわねェ」

そう言って桃の匂《にお》いを嗅《か》いだ。

「ことしの夏は、星が少ないみたいですわね」

そして、ほおっと溜息《ためいき》をついて、桃を鼻先から離し、膝《ひざ》の上に置いた。村越夫人の別荘を辞すと、私は片方の手をズボンのポケットに突っ込んで、落葉のつもった柔かい径を家へと帰って行った。枯葉を踏みしめる自分の足音が、深い樹林の奥から聞こえていた。それは前方から囁きかけてくる何かの声みたいな気がした。ゆっくり歩いても五分とかからないのに、そのときの私には、いやに長い恐しい夜道であった。

私は風呂《ふろ》からあがり、ベランダの籐椅子《とういす》に坐って、誘蛾灯《ゆうがとう》の青い光に照らされた木立ちに目をやっていた。ふと気づくと、うしろに叔母が立っていた。叔母は小声で私に訊《き》いた。

「お母ちゃん、ほんまに癌やなかったんか?」

「うん、違うかったんや」

叔母はほっとしたように肩の力を抜き、おやすみと言って自分の部屋に入って行った。私

はそのまましばらくベランダに坐って、ひんやりとした清涼な空気を胸いっぱいに吸った。小径を挟んで向かい合っているドイツ人の別荘に灯《ひ》が点《つ》いていた。きのうまでは無人だったがと思いながら暗闇《くらやみ》を窺《うかが》うと、あちこちの別荘の誘蛾灯がおぼろに光っていて、それぞれの持主がやって来たことに気づかされた。私は母が気になって、そっと部屋を覗《のぞ》いてみた。母は寝巻に着換え、蒲団《ふとん》の上にきちんと正坐《せいざ》して眉墨《まゆずみ》を塗っていた。電灯に顔を向け、眉墨のケースに付いている小さな鏡に自分の顔を映し、口をすぼめて一心に眉を描《か》いていた。

力

少年の漕《こ》ぐ自転車が、枯葉を巻きあげて、噴水の向こうに消えていった。西陽《にしび》は雲にさえぎられて公園を暗くさせ、ベンチに坐《すわ》っていた人々の腰をあげさせた。私も、そろそろ帰ろうと思った。夕暮が失意のひとつの象徴のように公園を侵蝕《しんしょく》し始めている気がして、ここちよい筈《はず》の秋の風も不快な寒気《さむけ》をもたらしてきた。腰をあげようとしたとき、隣に坐っていた老人が、

「お仕事、大変ですな」

と言った。老人はまだ秋だというのに、毛糸の手袋をはめていた。ステッキを持ち、ズック靴《ぐつ》を履いていた。猫背《ねこぜ》で、そのうえ着ている濃い灰色のジャンパーはかなり年代物らしく、袖口《そでぐち》がほころびていたから、私は、ああ、夕暮の公園には、いつもこんな貧しそうな老人が、何人か坐っていると思い、なるべく目が合わないよう、わざと背を向ける格好で坐っていたのだった。だが、突然話しかけられると、知らぬふりをして立ち去ってしまうわけにもいかず、

「……そうですねェ」

と答え、老人のほうを振り返った。けれども、話相手をさせられるのは迷惑だったから、

老人の目を見ず、ステッキに視線を落とした。ステッキの柄《え》の部分には金の飾り具が巻かれ、象牙《ぞうげ》細工も施されていて、それがかなりの上物であることを示していた。私は改めて、老人の着ているものに視線を走らせた。使い込んで、それぞれ傷《いた》んではいるものの、ジャンパーも手袋もズボンも、みな安物ではなかった。

「お日さんが落ちてのうても、雲に隠れると、どういうわけかみんな公園から出て行きます。春でも夏でもねェ。不思議ですなァ」

老人がそう言った途端、また西陽がさした。枯葉もベンチも、老人のズック靴も茜色《あかねいろ》になった。私もまた茜色に染まっているのであろう。

「元気が失《な》くなったときはねェ、自分の子供のときのことを思い出してみるんですよ。これが、元気を取り戻《もど》すこつですなァ」

「元気がないように見えますか？」

老人は私の問いに、ただ笑顔で応じただけで、あとは何も言わず、ゆっくりと立ちあがり、小さく頭を下げ、一歩一歩枯葉の道を踏みしめるようにして遠ざかって行った。確かに、私はその日一日、元気がなかった。そうでなければ、休日でもないのに、夕暮の公園のベンチで時を過ごしたりはしない。私を萎《な》えさせているものはたくさんあった。寝不足、決まりかけていた商談の決裂、妻の流産、三歳の長女が、隣人の買ったばかりの新車に釘《くぎ》で無数の線を刻んでしまったことに対する弁償金の捻出。しかし、それらはたまたまいちどきに重なり合っただけで、人生にはよくある些細《ささい》な不運に過ぎず、どれも解決のつかない事件ではなかった。それなのに、私はひどく気落ちしていた。人生に敗れたことをはっきり自覚した人みたいに、もしくは、意志とは裏腹に、ある悪魔的な力に操られて犯罪を犯してしまった人のように、深い失意に包まれ、会社を出ると予定していた得意先には足を運ばず、喫茶店で時間をつぶし、とぼとぼ路地を歩きまわり、いつしかこの公園にやって来たのだった。

殆《ほとん》ど人のいなくなった公園のベンチに再び腰を降ろし、煙草《たばこ》を吸った。あと二十分くらいは、陽がさしているだろうと考えた。もうその姿を、噴水の向こうのポプラ並木の奥に消してしまった老人に、私は憎悪《ぞうお》の感情を抱いた。彼は、元気のない人間をみつけるために、公園のあちこちを散策し、悪意に満ちた視線を配ることを日課にしているのに違いないと思ったのだった。そして獲物がみつかると近づいて行き、ますます生命力を喪《うしな》わせる方法をそっと耳打ちするのだ。――子供の頃《ころ》の自分を思い出しなさい、と。無垢《むく》であった時代、未来に幸福しか想《おも》い描かなかった時代、雨も雷も、耐え難《がた》い暑さや寒さも、己れを庇護《ひご》してくれる者のふところにもぐり込める格好の材料であった時代。そんな時代の自分を思い起こすことが何になろう。そんな時代に還《かえ》れる筈はなく、郷愁は失意におもしを乗せるだけではないか。そう思いながらも、私の心の中には、やがてぼんやりと、自分の幼かった頃のことが浮かび出て来た。けれども、それはどうしても鮮明な映像にはならなかった。どれもこれも、靄《もや》の彼方《かなた》の浮遊物のように、気味悪く揺れるだけである。子供の頃の思い出といっても数限りなく、しかも私は自分が幼いときどんな顔をしていたのか思い出せなかったし、どんな夢想にひたっていたのかさえ思い起こすことは出来ないのである。私は吸いたくもないのに煙草に火をつけ、噴水の水しぶきに目をやった。鎖をつけた犬に散歩させられている少年が、停《と》まろうとして足をふんばった。犬の足が砂利の上で空廻《からまわ》りした。犬は、ぜえぜえと喉《のど》を鳴らし、なおも前に進もうとした。少年は結局根負けして、前かがみになり、犬にひきずられて行った。一瞬、誰《だれ》もいなくなった噴水の前に、ランドセルを背負ってひょこひょこ歩いて行く小学校一年生の私のうしろ姿が見えた。見えたというより、あえて私がそこに置いたのかも知れない。私は七歳の私を茜色の宇宙にぽつねんとたたずませて見つめた。

入学式の日は勿論《もちろん》母に手を引かれて私は校門をくぐった。だが翌日も、私は母と一緒に学校へ行った。帰りはまた母が迎えに来てくれた。私たち一家は大阪市北区の最西端に住んでいた。近所の子供たちは歩いて十五分のところにある小学校に通っていた。それなのに、私がバス通学をしなければならぬ曾根崎《そねざき》小学校に入学させられたのは父の意向によってであった。その歓楽街のど真ん中に位置する小学校は、北区では最も程度が高く、有数の進学校である高校に入れるルートの、最初の出発点だったのである。しかし私は幼い頃からよく迷い子になって、両親を慌《あわ》てふためかせたことが幾度となくあったので、はたして無事にひとりでバス通学が出来るだろうかというのが、父や母の一番の心配点だった。

「バスに乗ってる間は、問題はないやろ。とにかく終点で降りたらええんやから」

入学式を数日後にひかえた夜、うつらうつらしている私の耳に、酔った父の声が襖越《ふすまご》しに聞こえた。

「とにかく、あっちへふらふら、こっちへふらふら行きよるやつやさかい、停留所を降りてからが問題やな。一週間ほど、お前が行き帰り一緒に付いてやれ。なんぼあいつでも覚えよるやろ」

「そうやなァ。一週間も送り迎えしてやったら、なんとか迷わんと、ひとりで行き帰りが出来るようになるやろけど、とにかく曾根崎新地の中やさかい、あっちこっち路地がおまっしゃろ？　まっすぐ行くとこを右へ曲がったりせえへんやろか。やりかねん子ォでっさかいなァ」

「あいつは、なんで右へ行くとこを左へ行ってしまいよるんや。あれは何かの病気やで。何を考えとるんやろ」

「あんたがおんば日傘で育ててしもたからですがな。そやから、あんな貧乏人のぼんぼんが出来たんや」

貧乏人という言葉が父の癇《かん》にさわったようだった。

「人生、どうなって行くか判《わか》るかい。いまはこんなとこでくすぶってるけど、わしは女房《にょうぼう》と子供にひもじい思いはさせてない。お前の言う貧乏人とは何や。えっ、貧乏人とは何やねん」

父の声が荒だった。私は父がまた母を殴らないだろうかと不安になった。母も、しまったと思ったらしく、

「まさか、うちの子を、金持のぼんぼんとは言えまへんがな」

そう小声でとりつくろった。

「ほう、そしたら、金持とは何やねん。お前、上等の着物を着て、大きな家に住んどったら、それを金持やと言うんか。貝塚《かいづか》の嫁はんがうらやましいんやろ」

「もうその話はやめまひょうな。何遍言うたら気が済みますねん」

貝塚とは父の商売仲間で、その男の裏切りが、父の商いをつぶす直接の原因となった。私は両親の毎夜のいさかいが、必ずその貝塚という男の名によって始まることを知っていたので、蒲団《ふとん》から出ると襖をあけ、

「お父ちゃん、お母ちゃんを殴らんといてや」

と哀願するように言った。しかし父は私を一瞥《いちべつ》しただけで、さらに語気荒くつづけた。

「貝塚の嫁はんがうらやましいんか。あの狐《きつね》みたい顔を見てみィ。おしろいつけて紅つけて、おそその横に垢《あか》つけてっちゅうのは、あんな女のことを言うんや」

「そんな言葉、子供の前で言わんとって」

母は顔をしかめて立ちあがり、私を蒲団に寝かしつけると囁《ささや》いた。

「早よ、寝なはれ。早寝早起きの癖をつけとかんと、小学校に行くようになったら困るやろ」

「お父ちゃんと、ケンカせんとってや」

うんうんと頷《うなず》いて、母は襖を閉めて隣の部屋に戻って行った。

「バスは大阪駅の向かい側で停まりますわなァ。阪神百貨店のちょうど前や。そしたらそのまま御堂筋の信号を渡って、曾根崎警察の横の道をまっすぐ行ったら、校門の前に出るんやさかい、なんぼあの子でも、三日も付いて行ってやったら覚えますやろ」

母は怪しくなって来た雲行きを変えようとして、話を元に戻した。

「そのまっすぐが、まっすぐ行きよらんから困るんや」

「けったいな子ォやわ」

父が笑った。私はほっとして、そのまま眠りに落ちたのであった。

母は入学式の日と、その翌日だけ付いて来てくれた。そして嚙《か》んで含めるように、きょろきょろしている私の頭を叩《たた》き、これが阪神百貨店、信号が青になるまで待ってから、この道を渡る。そう言って、言葉どおりに行動した。

「さあ、渡ったで。この茶色い建物が警察や」

母は私の手を引き、歩道を南へ十メートルほど行って立ち停まり、細い路地を指差した。

「ひとつめの路地やで。ここを曲がるんや。左へ曲がる。左やで。右と違う。右へ曲がったら車に轢《ひ》かれるで」

「そんなこと判ってる」

「判ってても、曲がる子なんや、あんたは」

そして、路地に入って行った。登校時だったので、私と同じ新入生であることを示す真新しい帽子とランドセルの生徒や、上級生たちが私たちを追い越して行った。

「この道をとにかくまっすぐ行くんやで」

と母は強い口調で言った。右側には、バーや小料理屋やパチンコ屋などへつづく路地があった。母は断じてそれらの路地に足を踏み入れてはいけないと命じた。そこに入り込んだら、怖いおじさんがたくさんいて、私をどこか遠くへ連れて行き、もう二度と家に帰って来ることは出来ないのだと脅した。

あくる日、授業が終わって校門を出て来ると、いったん帰宅し、再びバスに乗って私を迎えに来た母が心配顔で立っていた。朝と同じ調子で帰り道を教え、阪神百貨店の前まで行き、

「ここは降りたとこ。ここでバスを待っててもあかんのや。ほれ、もうちょっと向こうに五十二番と書いた停留所があるやろ？　あそこから乗って、車掌さんに定期を見せて、ぼくはここで降りるから、着いたら教えて下さいて言うんや。言えるやろ？　言うてみなはれ」

私はランドセルの金具にしっかりとゆわえつけられて中にしまい込んである定期券入れを出し、母に言われたとおりの言葉を繰り返した。

その翌日、私はいよいよひとりで学校へ行くこととなった。きのうも、おとといも同じバスに乗っていた女の人が停留所に立っていた。バスが、橋を渡ってやって来た。私は満員のバスに乗り、おとなたちの足元を縫って運転席の近くに行った。少しも怖くはなかった。私はランドセルから定期券入れを出し、これがあれば、お金がなくても一日に何度もこのバスで行ったり来たり出来るのだと思った。私は定期券の数字や、読めない漢字に見入ったり、運転手のハンドルさばきを覗《のぞ》き込んだり、外の景色を眺《なが》めたりした。父が丈夫な釣糸《つりいと》三本で編んだ、定期券入れとランドセルの金具とを結びつけている長い紐《ひも》を持ち、私は定期券入れを力一杯振り廻した。それは、座席に坐っていたお爺《じい》さんの手に当たった。

「こら！」

老人は手の甲を押さえて私を叱《しか》りつけ、

「そんなもん振り廻したら、危ないやないか」

と怒鳴った。びっくりして、私は老人に背を向けた。バスは梅田新道を左折し、御堂筋を大阪駅前へと走った。

「大きな帽子やなァ」

さっきの老人が笑顔で私の帽子にさわった。

「もっと小さいのん、なかったんかいな」

一番小さい帽子の中に新聞紙を詰めても、それはまだ私の眉《まゆ》の下まで落ちてくるのである。

「これが一番ちっちゃかったんや」

そう私が言うと、まわりの何人かのおとなが笑った。私は恥しさで下を向いた。すると、帽子がずれて目も隠れてしまった。それでまたおとなたちは笑った。若い勤め人ふうの男が、私の頭から帽子を取り、手に持っていた新聞紙を折って丸い輪を作ると、汗取りの内側に巻きつけてくれた。すでに父が帽子に同じ細工をしてあったので、男の巻いた新聞紙は汗取りの内側からかなりはみ出したが、おかげで帽子は私の額で止まって落ちてこなかった。私は大声で、

「ありがとう」

と言った。

「顔がちっちゃいんやなァ。松茸《まつたけ》の傘《かさ》みたいになってもたがな」

こんどは、さっきよりもっと多くの人が私を見て笑い声をあげた。私は、瘦《や》せっぽちだと言われるのと、顔が小さいと言われるのが嫌《きら》いだった。

「一年三組には、ぼくよりもっとちっちゃい子が三人もいてるでェ」

私は相当むきになって言ったのであろう。運転手までが振り返って笑った。

バスから降りると、私は春の朝日に満ちた歩道で立ち停まり、定期券入れをランドセルにしまった。片手を背に廻してそのまま突っ込めばいいのに、私はわざわざランドセルを肩から外して道に置き、底の方にしまった。私は不器用で、他《ほか》の子供が難なくこなせることでも、

かなり時間を必要とした。ボタンをかけるのも、食事を済ませるのも、靴下をはくのも。私はランドセルを背負ったが、どうも具合が悪い。服のすそが金具にひっかかってめくれ、袖も肘《ひじ》までずりあがって、幾ら引っ張っても直らない。私はまたランドセルを降ろし、道に置いた。そして歩道に坐《すわ》った。ランドセルと自分の背を同じ高さにして、やっとちゃんと背負うことが出来た。だが、そのために十分近くも時間を費してしまった。私は御堂筋に向かって歩きかけた。ビルと車と人々の群れが私をたじろがせた。きのうもおといも、母が傍《そば》にいることで、それらは物珍しく楽しい風景でしかなかったのに、ひとりになると一変して、なにかしら冷やかな化け物みたいに見えてきたのだった。ひととき、私は立ちすくんでいた。鉢巻《はちまき》をして地下足袋を履いた男が私の体をかすめて追い越して行った。男は脇《わき》の下にアルミの弁当箱を挟《はさ》んでいたが、何かにつまずいてよろめき、弁当箱を落としてしまった。歩道に、飯の固まりと数匹のメザシ、それに梅干がひとつちらばった。弁当箱の蓋《ふた》は一本の輪ゴムだけで閉じられてあったらしく、落ちた際、輪ゴムが切れて中味が散乱したのである。男は汚れた飯を拾い、メザシと梅干を集めて地べたを這《は》った。そして弁当箱につめ込み、信号を走り渡って行った。男が渡り切ると同時に、信号は赤に変わった。私は、男が拾い残した飯粒を見ていた。それをあきらめて立ち去る際の、男の哀《かな》しそうな顔が私をさらに心細くさせていた。右側に、阪神百貨店のショーウィンドウが見えた。ガラスの中で何人かの男がマネキンに服を着せていた。私はショーウィンドウの前に走って行き、男たちの作業を見物した。

信号が青になったので私は御堂筋を横切り、曾根崎警察署の前を右に曲がった。大きな竹籠《たけかご》を背負った垢だらけの老人が、道に落ちた煙草《たばこ》の吸い殻《がら》を拾い集めていた。長い棒にはペン先がくくりつけられていて、老人は右に歩き、左に寄って、吸い殻を突き差した。私が老人をよけようとして右に寄ると彼も右に寄って来る。左に寄ると、同じように左に寄ってくるのである。私は何とかして老人を追い越そうとし、彼が警察署の壁ぎわに寄った瞬間、全速力でその横を駈《か》け抜けた。母に教えられた路地はどこまで行ってもなかった。私はもく拾いの老人を追い越すとき、曲がるべき路地の前を通りすごしてしまったのだった。私はうしろを振り返ったまま、もく拾いの老人が通り過ぎるのを待った。老人はだんだん私に近づいて来た。私は銀杏《いちょう》並木の一本に凭《もた》れ、老人から身を隠すようにした。老人は私の足元に落ちていた吸い殻を突き差し、私を見た。まばたきもせず見つめ、私を指差した。そして突然大声で言った。

「こら、お前、なんでいままで、わしに手紙のひとつも出さなんだんや」

私は銀杏の木のうしろに廻り、警察署の前まで逃げた。もしそのとき同じ学校の生徒らしい一群が信号を渡ってこなかったら、おそらく私はそのまま西も東も判らなくなって、どこへ行ってしまったか知れたものではない。私は上級生らしい小学生たちのあとに付いて行った。警察署の横の路地を曲がると、見覚えのある質屋の黒い暖簾《のれん》が見えた。その路地だけ暗く、私には一度踏み込んだら最後、二度とあと戻り出来ない道に見えた。でも上級生はどんどん進んで行くので、私はよるべなく付いて行った。その軒先に上半身裸の男が倒れていた。

「わあ、死んでる、死んでる」

上級生のひとりが、面白《おもしろ》そうにはやしたてた。男は酒臭い息をはずませて起きあがり、

「なにィ！　いま、死んでるて言いやがったんはどいつや」

と叫んだ。上級生たちは物慣れた身のこなしで男の傍をすり抜けた。私も遅れじと走った。

「毎日、ここで死んでるやんけェ」

さっきの少年が男に赤んべえをして、そう言った。男はふらつく足で追ってこようとしたが、尻《しり》もちをついて、そのまま路上に横たわった。

「死ね、死ね。死んでまえ」

別の誰《だれ》かが言った。男は横たわったままもがいていた。上級生のひとりが、

「お前も言うたれ」

と私に命じた。

「死ね、死ね。死んでまえ」

私が言い終わらないうちに、上級生たちは喚声をあげて校門への路地を我先に駆けだした。私は慌《あわ》ててあとを追った。そして校門をくぐり、一階の端にある自分の教室に息せき切って入って行った。

いまは年老いてしまった母が、貧乏生活のまま生を終えた父の思い出を語るとき、そこには愛情と憎悪《ぞうお》が交錯している。憎悪の原因は、殆《ほとん》どが父の酒癖の悪さと、生活苦の中で、自分に内緒で女を囲っていたという事実に由来しているのである。だが、母の、父に対する深い愛情のひとつは、いかに一人息子の私を可愛《かわい》がったかという、その可愛がり方の大きさによってであった。母は別段隠していたわけではなく、忘れていたのだと前置きして語った。

「あの日、お父ちゃんが、私にそっと言うたんや。あいつのあとを尾《つ》けて行けって。バスが着いたとき、私は家から停留所まで走って、一番あとからバスに乗ったんやで。定期券入れは振り廻《まわ》すし、バスから降りたら何やら急に地べたに坐り込んでランドセルを背負い直すし、遅刻するかも知れんいうのに、弁当箱を落とした人をいつまでも見てるし、いっそ出て行って、学校へ連れて行こうかと思たけど、よっぽどのことがない限り、尾けてることはばれんようにせェって言われてたさかい、うしろのほうでやきもきしながら隠れてたんや。やっと歩きだしたと思たら、デパートのショーウィンドウをひょこひょこ見に行くし、信号を無事に渡ったと思てひと安心したら、もく拾いのお爺さんを追い越してとんでもないほうに走って行くんや。もく拾いのお爺さんに、わけの判らんこと言われて、鉄砲玉みたいにあと戻《もど》りしたとき、私はもうたまりかねて声をかけたんやで。そやのに気がつかへん。路地で、ぐでんぐでんの男に『死ね、死ね。死んでまえ』っちゅうて叫んだときは、お母ちゃん、足ががたがた震えたわ」

母は話の最後にこう言って微笑《ほほえ》みつつ涙ぐんだのであった。

「あんたが、校門に入ったのを見届けて家に帰ってから、一部始終をお父ちゃんに話して聞かせたんや。お父ちゃんはお腹《なか》かかえて笑いはった。お父ちゃんがあんなにおかしそうに笑いはったのは、商売がつぶれてから、あとにも先にも、あのときぐらいのもんやったやろ。よかった、よかった。あの頼りないやつでも、これでひとりで生きていけるめどがついた。そない言うて、お前が帰って来るのをいまかいまかと待ってはったんや」

私は噴水を見た。私の姿は消えていた。また、あるとき、浮かび出して歩きだすかも知れない。けれどもこれは、つい一年ほど前母から聞いた話をもとに、私がある夜、感傷と陶酔の入り混った心で創《つく》りあげた想像の産物なのである。私の幼いうしろ姿は、私という人間の中の路地に帰って行ったのだろう。

五千回の生死

　今夜は久し振りに酔っぱらった。まあ大抵夜になると酒を呑《の》むけど、こんなにゆったりと酔ったのは、本当に久し振りだ。だから、とっておきの話を聞かせるよ。気持よく酔って、しかもお前みたいな話し相手がいるっていうのは、俺《おれ》にはここ数年なかったことだからね。仕事、仕事、仕事。日曜も祭日もあったもんじゃない。どでかい貸ビルの一室に自分の小さな事務所をやっと持てたのが五年前だけど、いつつぶれるか判《わか》らないデザイン事務所で、ラフスケッチから版下の切り貼《は》りまで自分ひとりでやらなきゃいけない。十時より前に家に帰れた日なんて、かぞえるほどしかないんだ。帰ってくると息子は眠ってるし、女房《にょうぼう》も欠伸《あくび》を嚙《か》み殺してる。なんか付き合わせるのが気の毒になって、風呂《ふろ》に入って飯を食ったら、つい「もういいから、先に寝ろよ」って言っちゃうんだな。だから酒を呑みだすのは一時頃《ごろ》からになる。音を落としてFM放送を聞きながら、この団地の低い天井の下で、いろんな妄想《もうそう》にひたりつつ呑むってわけだ。そんな酒が、適量ですむはずはないよなァ……。

　まだ小学校の一年生でも、隣の部屋で息子が寝てるって思うだけで、随分こっちの精神状態が違うってことが判った。女房が実家に帰ってきょうで四日目だけど、息子の寝言も、女房のおすこやかないびきも聞こえない部屋で、あと五日間どうやって過ごそうかって思ってたんだ。そう思いながら帰って来たら、お前がドアの前に立ってるからびっくりしたねえ。女房のお袋の病気もそんなに心配するほどのもんじゃないって判って、ひと安心さ。おい、きょうは呑もうぜ。とにかく十年ぶりだ。いや、そうじゃないな。十二年ぶりだ。十二年だぜ。お互い、不義理な人間だよ。でも、ほんとによく来てくれたよ。景気、よさそうじゃねェか。ま、そんなことはどっちでもいいや。とっておきの話を始めるぞォ。その前に、もう一杯呑んで、喉《のど》を湿らせてと……。

大学二年の冬のことだよ。そうすると何年前になる？　ええっと、十四年も昔だ。覚えてるだろう？　あのダンヒルのオイルライターのこと。死んだ親父《おやじ》の遺品を整理してたら、机の底から出て来た骨董品《こっとうひん》。お前、欲しがったよなァ。とにかく、歯磨《はみが》き粉で磨いたらダンヒルって文字と、メイド・イン・イングランド、それに1929って数字が出て来て、どこもがたがきてなかった。お前、わざわざライター用のオイル買って来て、ちゃんと火がつくかどうか試したんだ。お前のあのときの顔、いまでも忘れねェよ。

「ついた！」

って言ったきり、長いこと火を見てたもんなァ。そのうち、目ェ剝《む》いてさあ、俺の手からライターを引ったくった。お前、こう言ったんだよ。

「おい、これは大変なライターだぞ」

いや、そうじゃないな。大阪弁だ、大阪弁。大阪弁で、

「おい、これは、どえらいライターやで」

って叫んだんだよな。

大学を出てすぐに東京に出て来て、それっきり大阪へは一度も帰ってねェんだ。そのうえ、女房も千葉の出身だろ。大阪弁なんてもう何年も使ってないよな。だけど、この話をするには、大阪弁を使わざるを得ないよ。この話、俺は女房にも喋《しゃべ》ったことないんだ。いつか息子が大きくなって、俺の酒の相手でも出来るようになったら、話して聞かそうって、大事にしまっといたんだ。

お前、このライターは、値段なんてつけられねェって言ったよな。1929ってのは、このライターが製造された年のことだろう。いろんな説はあるけど、どうやらダンヒルがライターをつくったのは一九二一年だ。それもプロトタイプというやつで、ちゃんとした形のオイルライターができたのはそれより何年かあとだろう。そのオイルライターが日本に正式に輸入されたのは一九二五年だから、おい、これは、どえらいライターやで。真鍮製《しんちゅうせい》で銀メッキが施してあるけど、使い込まれてメッキは殆《ほとん》どはげてる。でも、はげてるのがまたいいじゃないか。そのうえ、この形。無駄《むだ》なところが何にもなくて、素朴《そぼく》過ぎるくらいだけど、これこそライターだっていう気品がある。それに底の丸い蓋《ふた》。ネジ式で、はずすと、ちゃんと底の裏に補充用の石をしまうための細工がしてある。このライターが、五十四年も前に造られたなんて信じられるか。お前、そうまくしたてたんだよ。それから、俺を上目使いで見ながら、一万円で譲ってくれ。そう言った。俺が黙ってると、お前はとうとう五万円まで値を吊《つ》りあげたんだ。五万円……。喉から手が出るくらい欲しかったよ。とにかく親父は借金残して死んじゃうし、お袋は体が弱いし、大学はまだあと二年も残ってるし、それどころか、あしたの米にも困ってたくらいだもんなァ。俺があのとき首を縦に振らなかったのは、べつにライターの値打ちに魅《ひ》かれたんでもない。お前よりもっと金を出そうっていうコレクターに売りつける気もなかった。俺は、親父がなぜこんなアンティックなライターを後生大事に持ってたのか不思議だったんだよ。俺の親父は、何か物に凝るって男じゃなかった。火をつけるのはマッチで充分だ。何かにつけてそういうところがあったから、このライターには、誰《だれ》にも言えない親父だけの思い出があるんじゃないか、そんな気がしたんだ。親父が死んだ直後で、俺も多少感傷的になってたんだと思うよ。

お前がとうとうあきらめて帰っちまって、ちょうど十日目だ。五万円が欲しくなったんだ。借金取りは押し寄せるし、お袋は寝込んじゃうし、家は抵当に入ってて、どこかにアパートを借りなきゃいけねェ。でも俺もお袋も、金に代えられる物は、もう洗いざらいはたいちまって、すっからかんになってたんだ。お前に、ライターを買ってもらうしかなくなった。出掛けるとき、電話一本かけりゃあよかったんだ。ところが家中の金を、五円玉や一円玉までかき集めても、その電話代が足りないんだ。俺の住んでた福島区から、お前の家がある堺市《さかいし》までの、片道分しか金がなかった。不思議なもんだよ。本当にきっかり片道分しかなかったんだ。俺は、それを思い出すたびに、何かいろんなことが判って来そうな気がするよ。だって、そうだろう。よく考えてみたら、俺が電話をかけて、ライターを売るって言やあ、お前は俺の家まですっ飛んで来た筈《はず》だよ。ところが俺には、五万円の札しか頭になかった。電話をかけたら電車賃が十円足りなくなるってことしか考えなかったんだ。うまく行かないときってのは、もう何もかも、そんなふうに事が運んじゃうんだよ。

二月の十五日だよ。夜の八時過ぎに、俺はバスに乗って大阪駅まで出た。そこから地下鉄で難波まで行って南海電車に乗り換えた。堺駅までの切符を買ったとき、俺は完全におけらになってた。ポケットに、五万円で売れるライターがあるだけさ。ライターと引き替えにお前から五万円受け取ったら、とにかく梅田まで帰って来て、焼き鳥屋で熱い酒を呑もうって、そればっかり考えて電車に揺られてたよ。

お前の家の前に着いたのは九時半頃だ。家の中には電灯がひとつもついてない。何回チャイムを鳴らしても応答なしだ。俺は一時間近く、震えながら門の前で家の人が帰って来るのを待ってた。あの瓦《かわら》屋根の豪勢な門の前で。隣の家の犬が、ぎゃんぎゃん吠《ほ》えやがって、それで人が玄関から出て来たんだ。その人に教えてもらわなかったら、俺はまだ二時間も三時間も、お前の家の前で立ってたところだよ。きのうから、ご一家で旅行に行かれましたよって言われた。九州を廻《まわ》って来るそうだから、相当長い旅行じゃないんですか、だって。お前、そのときの俺の気持、判るか？　目の前が暗くなるってもんじゃないぞォ。俺には一銭の金もないんだ。風が強くて、耳がちぎれそうになってた。そのうえ、朝、牛乳を一本飲んだだけで、腹の中は空っぽなんだ。

俺はとぼとぼ歩きだしたよ。駅まで行った。駅長にわけを話して、お金を借りようか、なんて考えたからさ。でも、世の中、善意の人ばっかりじゃないってことが、骨身に沁《し》みて判るような事件が、親父の死んだあと、次から次へと出て来てさァ、どうしても堺駅の駅長室のドアが押せなかった。俺は質屋を捜した。これだけの値打ち物だ。どんな質屋だって金を貸してくれるに違いないって思いついたんだ。電柱に質屋の看板をみつけて、その矢印に沿って歩いて行く途中で、ふっと気が変わった。お前が、ライターに五万円て値をつけたことに何か凄《すご》く腹が立ってきたんだ。あの当時は、大卒の初任給が三万円あるかないかの時代だよ。俺は二百円そこそこの金がないために、悲壮な顔つきで質屋に向かってる。へん、ご一家で九州旅行か、五万円で譲ってくれか。チクショウ、死んだって俺は歩いて帰ってやらあ。突然そう思ったんだよ。俺はもう一度駅まで戻《もど》って、しばらく線路伝いに進んだ。そのうち、道は行き止まりになった。路地をじぐざぐに曲がって、なんとか国道に出たんや。底冷えってのは、あんな夜の寒さを言うんだぜ。

そんないやな顔、すんなよ。俺は恨みごとを言うてるのんと違うがな。堺から、大阪市福島区まで歩いて帰った真冬の夜の話をしたいだけや。俺は心の中で、あることを念じながら歩いとった。パトカーが通ってくれへんかなァ……。そのパトカーに乗ってる警官が、真夜中にひとりとぼとぼ歩いてる俺を怪しんで職務質問してくれたらええのになァ。そしたら、俺は一部始終を説明する。ひょっとしたら、パトカーで家まで送ってくれるかもしれん。そう思ったからさ。ところが、どんなによたって歩こうが、泥棒《どろぼう》みたいに、小走りで周りを窺《うかが》う格好をしようが、パトカーはぜんぜん停《と》まってくれへんのや。

三時間くらい歩いたかなァ。いや、せいぜい二時間程度だったか知れねェ。時間の感覚も方角の見当もつかなくなってたよ。寒いなんてのは、もう通り越しちゃって、ただひたすら歩いてる死人みたいだったんだ。トラックのライトで標識の夜光塗料が光った。〈国道26〉って字と〈住吉公園10キロ〉って字が見えた。なんと、俺は逆方向に歩いてたんや。とにかく、訳の判らんうめき声をあげて引き返した。

国道二十六号線は一本道で、難波までつづいているんだ。ああ、なんでもええ、この道を歩いて行ったらええんや。そう思ったら、ちょっとだけ元気が出て来よった。住吉の向こうは粉浜《こはま》、粉浜の向こうが岸里《きしのさと》、その先が花園町、それから大国町で、大国町から難波までは目と鼻の先や。難波まで辿《たど》り着いたら、福島までは一時間半か二時間くらいのもんやろ。頭の中で地図を描《か》いて、地名を確めてるうちに、不安になってきた。判るやろ？　この調子で歩いたら、俺は明け方か、そのちょっと前ぐらいに花園町を通らなあかんのや。花園町やぞ。あの釜《かま》ヶ崎《さき》のある花園町や。こんな寒い日の明け方は、必ず道端で何人かが凍死してる花園町のど真ん中を通るんや。死んでも歩いて帰ったるっちゅう決心がぐらついてきよった。それでも足だけは前へ動いとったで、機械的になァ……。道には人っ子ひとりおれへん。トラックの音がするたびに、道が揺れよった。そのうちに、なんとなく誰かが俺のあとを尾《つ》いて来てるような気がして、そっと振り返ったら、十メートルほどうしろから、自転車に乗った男が、俺の歩く速さに合わせて右に左に傾きながらペダルを漕《こ》いどった。俺はその男をやりすごすために、立ち小便をしたんや。そしたら、その男も自転車から降りて、立ち小便をしよる。俺はそっとソフトボールの大きさの石をひろって、コートのポケットに入れて握りしめた。そいつ、俺が歩きだしたら、また自転車に乗って尾いてきよるんや。俺はどこかの路地に逃げ込もうかと思たけど、相手は自転車やから、追いつかれるに決まってるがな。いろんなこと、考えたで。こいつはいったい何者やろ。通り魔やろか、強盗やろか。強盗やったら、ライターを盗《と》られるだけで済むけど、ただ人を殺したいという男やったら、どないしょう。

俺、もう辛棒出来んようになってなァ、振り向いて言うたんや。

「なんで、俺のあとを尾けて来るねん。俺は一銭も持ってないぞォ。どっかへ行ってくれよォ」

唇《くちびる》が痺《しび》れて、涎《よだれ》が伝うたのも判らんかったで。その男、何にも言わんと、じっと俺を見とったけど、そのうち自転車から降りよった。それから自転車を押して俺の傍《そば》まで近づいて来よった。車のライトが男の顔を照らしよった。坊主頭《ぼうずあたま》で、二十五、六っちゅうとこかな。たらこみたいな唇と、普通の人間の倍近いんと違うかて思うような太い眉毛《まゆげ》が、もうちょっとのところで、俺に悲鳴をあげさせるとこやったで。ところがや、

「どこまで行くねん？」

て、やっと口を開いたその声が女みたいで、妙に優しいんや。

俺はそれでもポケットの中の石を握ったまま、

「福島まで帰るんや」

そう答えた。

「福島て、福島区か？」

「ああ、そうや」

「なんで、電車に乗れへんねん」

「一銭もないからや」

その男、自転車の荷台を叩《たた》いて、

「乗れや。送ったるわ」

そない言いよったんや。そう言われたからいうて、簡単に乗れるもんやないで。俺は断わった。もう尾いてこんとってくれと頼んで、また歩き始めたんや。振り返っても振り返っても、そいつはうしろにおるんや。とうとう住吉公園のところまで来てしもた。

俺は古ぼけたビルの前で坐《すわ》り込んだ。ふくらはぎが痛うて、そのうえ何遍も眩暈《めまい》がしたか

らや。

「自転車に乗れよ。送ったるやんけ」

俺《おれ》が黙ってると、おんなじ言葉を六回も七回も繰り返しよる。

「お前、俺を自転車のうしろに乗せて、それでどこへ連れて行く気やねん」

「福島や」

「嘘《うそ》つけ！　そんな手に乗れへんぞォ。さっきから言うてるやろ。俺は文無しや。腹ペコで鼻血も出ェへんわい。なんぼ俺をひっかけようとしたって無駄や。どこかのタコ部屋に連れ込むつもりやろ」

「タコ部屋て、何や？」

俺はコートの衿《えり》を立てて、長いことうずくまった。自分の膝頭《ひざがしら》のところに顔を埋めてなァ。そしたら、

「そんなことしてたら、死んでまうぞォ。送ったるから乗れや」

そいつ、駄々っ子をなだめるみたいに、のんびりした口調で言いよった。俺は顔をあげて、

「お前、家はないんか」

て訊《き》いた。

「家は、あるでェ」

「そんなら、さっさと家に帰れよ。しつこいやつやなァ。俺に付き合《お》うとったら、お前こそ

死んでまうぞォ」

「俺、死にたいねん」

そいつ、にこにこ笑いながらそう言いやがった。あの、に、こ、に、こ、に負けたよ。不思議なに、こ、に、こ、やったなァ。俺が立ちあがって、自転車の荷台にまたがったら、そいつ、

「しゅっぱーつ」

て大きな声で嬉《うれ》しそうに言うて、猛然とペダルを漕ぎだしたんや。

「俺の体に抱きついとけよ」

そう言われて、そいつの腹に腕を巻きつけて俺はびっくりした。そいつ、薄っぺらいジャンパーの下には、セーターも下着も着てないんや。あの夜は零下やったでェ。ことし最高の冷え込みやったて、夕刊に載ってたよ。朝六時の観測では零下六度で、大阪が零下五度以下になったのは四年ぶりやて書いてあった。俺は、そいつのジャンパー越しに伝わってくる体温が気持よかった。競輪の選手みたいな漕ぎっぷりやったなァ。けったいなやつやけど、そんなに悪い男でもなさそうや。まあ、何でもええわ、ほんまに福島まで乗せて行ってくれたら儲《もう》けもんや。そう思いながら、両方の頰《ほ》っぺたを、かわるがわるそいつの背中に当てて温めとった。そのうちに、いやな予感がしてきた。そいつの言うたひとことや。

「俺、死にたいねん」

こいつ、道づれを捜しとったんとちゃうやろか。この自転車の漕ぎ方は普通やない。こい

つ、ほんまに死ぬ気や。俺は必死でそいつの背中を叩いて、スピードをゆるめてくれって頼んだ。意外とあっさり言うたとおりにしよって、

「怖いかァ？」

って訊きよるんや。俺はケツが痛いんやて答えた。それから、

「さっき、死にたいて言うたやろ？　なんでや」

そう訊いてみたんや。自転車の横をすれすれに走り過ぎて行く長距離トラックの轟音《ごうおん》よりも、風の音のほうがきつかった。向かい風でなァ、俺は、あとにも先にも、あんな寒い夜は二度とないやろと思うんや。

だいぶたってから、そいつ、ぽつんと言いよった。

「さっきは死にたかったけど、いまは生きたい」

自転車を停めて、俺のほうに振り向いてこう言いよった。

「俺、一日に五千回ぐらい、死にとうなったり、生きとうなったりするんや。兄貴も病院の医者も、それがお前の病気やて言いよるんやけど、俺はなんぼ考えても病気とは思われへん。みんなそうと違うんか？　お前はどうや？」

俺は慌《あわ》てて自転車の荷台から降りたでェ。なんで気がつかんかったんやろか、そうか、こいつは頭がおかしいんか。そう思たら、ぞっとしてきてなァ……。俺は丁重に礼を言うて、もうすぐ岸里やから、そこまで行ったら大丈夫や。おかげで助かった。どうか帰ってくれっ

て、気を悪うさせんようにやなァ、このまま何事もなく別れようとしたんや。そやのに、俺が歩きだしたら、また尾いてきよる。こんどはうしろからと違うて、並んでや。俺は、なるべく返事をせんとこと思うんやけど、そいつ、一所懸命話しかけてきよるんや。そのうち妙に、俺の機を乱すようなことを言いだした。

「お前、俺をきちがいやと思てるやろ。なんでや？　お前かて、死にたなったり、生きたなったりするやろ？　そんなこと思うの、人間だけやろ？　俺が正常な人間やという証拠やないか」

そう言われると、確かにそんな気がしてきたなァ。返事はせんぞと決めてたのに、うっかり口を開いてしもた。

「そら、そうや。けど、一日に五千回も死にたなったり、生きたなったりするっちゅうのは、やっぱり、ちょっと普通やないで」

「そうかなァ」

そいつ、黙り込んで何か考えとった。大きな交差点の近くまできて、その角に銀行の看板と時計が見えた。三時やった。うわァ、五時間近うも歩いて、まだ岸里の手前か。そう思た途端、体中の力が抜けてしもた。そいつも時計を眺《なが》めてた。それからこう言いよった。

「俺は知ってるんや」

「何を」

「五千回どころやない、五万回、五十万回、いや、もっともっとかぞえきられへんほど、俺は死んできたんや。猛烈に生きとうなった瞬間に、それがはっきり判《わか》るんや。その代わり、死にたいときは、自分の生まれる前のことは、さっぱり思い出されへんねん。何十万回も生まれ変わってきたことが、判らへんようになるんや」

俺はもういっぺん自転車の荷台に乗って、

「頼む。福島まで送ってくれ。俺はもう歩いて帰る気力がないんや。そやけど、もし死にたなったら教えてくれよ。『死にたなったァ！』っちゅうて。そしたら、俺は荷台から飛び降りるからな」

精も魂も抜けた声で言うた。

そいつ、声をあげて笑いよった。その顔はなァ、なんぼ見ても、頭のどこかがおかしいてな顔やなかったんや。しかし、考えてみたら、冬の真夜中に、見も知らん人間を自転車に乗せて福島まで送ってやろうというんやから、変わってることは確かに変わってる。たぶん、俺はデカダンスになってたんやろ。こんなけったいなやつの相手をするのもええなァっちゅう気分になっとった。

ものすごいスピードで走りだした。五分もたたんうちに、

「おい、死にとうなってきたァ」

って叫びよった。俺は飛び降りた。交差点のど真ん中や。俺が飛び降りたら、そいつは交

差点を渡りきったところで自転車を停めて、じっとうなだれてる。

「生きとうなるまで、俺は歩いてるから」

そう言うて、俺はコートのポケットに両手を突っ込んで、仕舞屋《しもたや》の並んでる歩道を急いだ。そいつは、自転車にまたがってうなだれたまま身じろぎひとつしよれへん。相当歩いて、そいつが闇《やみ》の中に隠れたころ、豆粒みたいな光が、だんだん強うなりながら近づいてきた。そいつの自転車のライトやった。

「おい、大丈夫や。乗れよ」

「ほんまやろなァ。無理するなよ。お前のそのけったいな発作がおさまるまで、俺は絶対に自転車には乗れへんぞォ」

「うん、ものすごう嬉しい気分や。死んでも死んでも生まれて来るんや。それさえ知っとったら、この世の中、何にも怖いもんなんてあるかいな。乗れよ」

花園町の手前まで行くあいだに、そいつ、何遍「死にとうなってきたァ！」て叫びよったと思う？　十回や二十回なんてもんと違うでェ。俺はそのたびに自転車から必死で飛び降りた。降りそこねて、何遍転んだか判らへんよ。風が弱まっていくのと同時に、温度が下がってきた。俺の体は氷やったけど、心の中には湯タンポみたいなもんが生まれとったなァ。それは、そのゆきずりの、へんてこりんな人間の善意に、ほのぼのとなってたというのんとは違うんや。俺は、そいつが生きとうなって、目を輝かせて、

「死んでも死んでも生まれてくるんや」

と言うのを聞いてるうちに、自分までが嬉しいなってきたんや。そいつがそう言うたびに、

「そうかァ、そらよかったなァ」

本気で相槌《あいづち》を打っとった。

空にちょっとだけ青味がかかってきて、いよいよ花園町の、ガード下の近くまで来たんや。

俺は自転車の荷台に乗って、うしろからそいつに頼んだ。

「おい、ここらへんは、厄介《やっかい》な連中がいっぱいうろついてるとこやから、ここでだけは死にとうならんとってくれよ」

「そんなこと言われても無理や。ところかまわずやから……」

おったでェ。地下足袋を履いて、半分にちぎった煙草《たばこ》を耳に挟《はさ》んだやつらが。寝てるのか死んでるのか判らんのが、体中に新聞紙を巻きつけて道端で横になっとった。俺は祈ったよ。そいつが、そこで死にとうならんように。何人かの男が家の陰とか路地から出て来よった。頬のこけた、土気色の顔をした連中がや。

「おい、もっとスピード出せよ」

俺がそう言うたときは、もう自転車は十何人かの男に取り囲まれとったんや。その人垣《ひとがき》をみつけて、あっちこっちから、ぎょうさんの人間が、人相の悪いのが集まって来て、

「なんや、仕事か?」

とか、

「おい、こいつら、どこのやつや」

とか言いだした。ほんまに、俺、生きた心地がせなんだわ。少なく見積っても、五十人ぐらいの、いっときも早よう仕事にありつきたい人間に囲まれとったでェ。そいつ、何人かの人間に愛想よう頭下げて、

「おはようございます」

そない言いよんねん。そんなこと言うたら、仕事の口を持って来た人間みたいやないか。連中は我先に自転車のハンドルとかサドルとかにしがみつきよった。

「要るのは一人か二人か」

「俺が先や。兄ちゃん、こいつらみんな昼までもてへん体や。俺だけやでェ。時間までばばり働けんのは」

もうあかん。俺らが、ただの通りすがりの人間やと判ったら、こいつら、そのままにしとかんやろ。頭にきて、俺ら二人を袋叩きにしよる。そやけど、逃げようにも逃げようがあらへん。とにかく前後左右から自転車をつかまれてるんやからなァ。アホみたいに、

「おはようございます。おはようございます」

ばっかり繰り返しとったそいつが、突然こない言うた。

「みんな、ついといでェ」

前に立ちはだかって、両手でハンドルを押さえとった前歯のない男が、

「みんな？」

て聞き直しよった。

「みんなて、どんな仕事やねん」

「ええから前をあけてんか。みんな、ついて来たらええねや。みんな出来る仕事や」

男は道をあけるよう指示しよった。

「年寄りでもええんかいな」

人垣のうしろのほうから、そんな声が聞こえた。

「力の要る仕事やないよってに、年寄りでもかめへんでェ」

そいつ、みんなについて来るよう手招きして、ゆっくりと自転車を漕《こ》ぎ始めよった。ガード下をくぐって、大国町への道を、のんびりと進みよる。そのあとから、七十人ほどにも増えた労務者が、口々に、

「どんな仕事やねん」

「見かけん手配師やな」

そんなことを小声で言いながらついて来よったんや。俺は、そいつの耳に顔を近づけて、

「今や。行け！」

そう言うたのに、そいつ、自転車のスピードをあげよれへん。俺は一瞬考えた。こいつは

今、どっちかの状態の中にある。死にたいのか、生きたいのか、いったいどっちやろ。それで俺は背中に何十人もの人間の視線を感じながら、

「おい、お前、今は死にたいのか？　生きたいのか？」

って訊《き》いたんや。そしたら、そいつ、

「どっちでもないんやなァ」

そう答えよった。

「そんなときもあるんか？」

「いや、三年ぶりや。三年前までは、どっちでもよかったからなァ」

俺はそいつの背中をつついて、うしろを見るように言うた。

「お前、こいつらをどうする気やねん。早いこと逃げなんだら、えらいめに遭わされるぞォ」

「今、逃げたら、すぐにつかまる」

そいつの言うたとおりやった。ガードの下をくぐっても、だいぶ先まで、手配師の車を待ってる連中が通りの両側で身を縮めて立っとった。夜明けの凍《い》てつく道を行進してくる氏素姓も知らん仲間をぽかんと見とった。そうや、ほんまにあれは行進やった。ガードの上を走って行く一番電車の音が響いた。歩道や道の真ん中をうろうろしてる人間の数がまばらになって、下り坂になった途端に、そいつはスピードをあげたんや。俺は、そいつが死にとうな

ったんか、生きとうなったんか、そんなことはどっちでもよかった。

「俺《おれ》も一緒に死んだる！　走れェ、走れェ！」

もう絶叫したでェ。横から出て来た自動車が急ブレーキをかけた。道のところどころが凍っとったんやろ。自動車は滑って交差点の角のホルモン焼き屋に突っ込みよった。労務者の何人かが追いかけて来よった。そのうちの二、三人が石を投げよった。投げたひょうしに滑って転びよるのが見えとった。走ったでェ。そらもう無茶苦茶に自転車をすっとばして逃げたんや。

大国町の靴屋《くつや》の並んでる通りを走り、まだネオンの灯《とも》ってる難波のラブホテル街の横を走り、湊町《みなと》を突っ切って四つ橋筋に入るまで、そいつは何回「死にとうなってきたァ！」って叫びよったと思う？　そのたびに、俺はそいつの体に巻きつけてる腕に力を込めて、

「心配すんなァ。一緒に死んだる」

そう答えとった。福島区の、俺の家の近くに着いたのは、勤め人が駅への道を白い息を吐きながら急いでる時分やった。

俺は自転車から降りて、そいつに礼を言うた。そいつの薄いジャンパーが汗でびしょ濡《ぬ》れになってたから、俺は無理矢理それを脱がして、自分のコートを着せてやった。俺は、花園町を通らんでもええ帰り道を教えたけど、そいつは聞いてるのか聞いてないのか判らんような顔をしとったなァ。朝日を浴びてるそいつの顔は、なんぼ値引きして思い浮かべても、や

っぱり神々《こうごう》しいという言い方以外、ほかには表現の仕方がなかったよ。俺のコートは、そいつには小さかったけど、俺が恐縮するくらい丁寧に礼を言いよった。俺はもっともっと何かしてあげたかったけど、アンパン一個買う金もあらへん。そいつは俺に手を振って十メートルほど行ってから、また戻《もど》って来よった。それでこう訊きよったんや。

「お前、俺を病気やて思うか？」

俺は答えられへんかった。首を縦にも横にも振られへんかった。そいつはいつまでも俺の言葉を待っとった。しようがないから、俺は逆に質問したんや。

「お前、ほんまに、これまでに、かぞえきられへんほど死んできたと思てるんか？」

俺はそいつの、憫《あわ》れみに満ちた目を生涯《しょうがい》忘れへんと思う。そいつは最初、がっかりした顔つきで俺を見て、

「お前、なんでそれが判れへんのや？」

って言うてから、俺の頭をそっと撫《な》でよったんや。俺は三日後に家を明け渡して、お袋と一緒に淀川《よどがわ》区のアパートに引っ越した。

これが、俺の、誰《だれ》にも話したことのない、とっておきの話や。そんなに不思議そうな顔をするなよ。しょうもない話を長いこと聞かせやがって、と思てるやろ。早いとこ本題に入りたいやろ。わざわざ大阪から、東京の俺の住んでる団地を捜しあてて訪ねてきたお前の本心は初めっから判ってたんや。あのライターやろ？　あのダンヒルのオイルライターは、コー

トのポケットに入れたままやった。一日に五千回も、死にとうなったり、生きとうなったりする、坊主頭《ぼうずあたま》のあいつに着せてやったコートのポケットに、や。

アルコール兄弟

「世の中にはまったく通用しないよ。通用しないけど、でもこれが俺《おれ》の考え方なんだってものは、やっぱりあるじゃねェか。そうだろう？」

日本ではよく知られたオペラ歌手だという大柄《おおがら》な男が、カウンターの椅子《いす》に坐《すわ》って、出だしの一節を歌うと、スナックのママもバーテンも、取り巻き連と一緒に拍手をした。島田は廻《まわ》りにくくなってきた舌で、

「そうだろう？」

と私に返事を求めてから横目でオペラ歌手の背中を見やり、

「かりにもプロが、飲みに来た店で歌ったりするなってんだ。底が知れるぜ」

そうにくにくしげにつぶやき、水っぽくなった水割りにウィスキーを足した。

「どうしてオペラの歌手が、モーニングショーのホストをやってんだ」

私は、その笑い声だけで、ガラスの中の氷がぶつかり合うほどの声量に感心しながら、島田に言った。島田は小さなテーブル越しに顔を近づけて囁《ささや》いた。

「日本じゃ、オペラで食える筈《はず》ないだろ。だから、テレビタレントになって金を稼《かせ》いでるのさ」

「おい、入社試験で先に筆記試験があっただろう。あのとき、お前、俺の前に坐ってたんだぜ。覚えてるか」

私も呂律《ろれつ》が怪しくなっているのに気づいた。島田は、酔うといっそう三白眼になるのだが、うなだれて上目使いに私を見つめた目に、黒い部分は殆《ほとん》どなかった。島田は両手をかかげて拡《ひろ》げ、

「十年だ。入社試験の日から、ちょうど十年だぜ。仲良くしていただいたのは最初の一年間だけで、それ以後は、会社の廊下ですれちがったってドブネズミかゴキブリを見るみたいにして口もきかなくなりやがった。だけど、俺は、お前を好きだったんだ、お前を。酔ってるから言うわけじゃないよ。お前だけは好きだったんだ。ほんとだぜ」

と言った。それから恥しそうに微笑《ほほえ》んだ。

「だって、しょうがないだろう。お前が組合に入ったことが判《わか》った日に、同期入社の十二人は、常務に直接呼ばれて、優しい笑顔で昼食会に誘われたんだぜ。浜屋の二階の座敷にだ。行ってみたら、各部長が、がん首揃《そろ》えて坐ってやがる。すぐに判ったよ。島田に右に倣《なら》えして、組合に入ったりしたらためにならないぞってことを、間接的にじっくりと釘《くぎ》を刺しとこう……。とにかく正社員になって半年目だから、こっちは殊勝にしてるしかないんだ。組合員と一緒にお茶を飲んだだけで、どんな話をしたんだって根掘り葉掘り訊《き》かれるし、下手な真似《まね》して広島支社なんかに島流しにされてみろ。それっきりだからな。お前には悪いと思い

ながら、ああするしかなかったんだよ」

判ってるよ、判ってるよ。島田はかすかに涙を浮かべて、私の肩を何度も叩《たた》いた。濃いめの水割りを一気に飲み、手の甲で唇《くちびる》をぬぐって、うなだれたまま深く溜息《ためいき》をついた。

「ここだけの話だけどな」

彼は言ってから、

「ここだけの話が、ここだけでおさまったためしはないけどさ」

と鼻で笑った。

「じゃあ、やめろよ。そんな言い方は不愉快だ。ここでお前と話をしてるのは俺だけなんだぜ。ここだけでおさまらないって思ってるのは、俺が誰《だれ》かに喋《しゃべ》るってことじゃねェか。俺だって、共産党で十年も訓練されてきた人間の、ここだけの話を信じられねェからな」

しかし島田は、私の言葉を無視してつづけた。

「俺は、共産主義なんか信じちゃいねェよ。組合に入ったときも、それから十年たったいまでもおんなじだよ。俺が慌《あわ》てて組合に入ったのは、次の人事異動で、広島支社に行かされるってことを部長に耳打ちされたからなんだ。俺は、親一人子一人で、お袋はリューマチで寝たり起きたりだ。お袋を東京にひとり置いとくことも、連れて行くことも出来ねェ。部長にそう言ったら、何て言い返されたと思う？　うちの会社は、よっぽど成績がいいか、強力なコネクションがないかぎり、片親しかいない人間は採用しない方針なんだ。きみは、飛び抜けて成績がいいわけじゃなかった。そんなきみが、なぜ採用されたのか考えてみろ……。いくら考えても判らなかったねェ。最初から、広島支社勤務の人間として雇うんなら、なにもわざわざ親一人子一人の俺を採用しなくったっていいだろう。そのうち判ってきた。平松さんだよ。あの頃《ころ》はまだ組合の副書記長だった。平松さんは大学の先輩だし、家も近くだったから、会社が退《ひ》けたら一緒に飲みに行ったり、休みの日は家に遊びに行ったりしてたんだ。会社はそれを知って、早とちりしやがった。島田のやつ、平松にすっかり洗脳されたな。それなら共産系の組合に入る前に、広島へやっちまえ。そう考えたのに決まってるさ。俺はそれを平松さんに言った。平松さんは、広島支社に行かなくてすむようにしてやるって約束してくれた、六十五人の組合員が断固戦ってやるって。俺は共産主義なんて大嫌《だいきら》いなんだ。だけど、お袋をかかえて広島支社に行くことは出来なかったから、仕方がなくて、組合に入った。これが、ほんとのところなんだ」

オペラ歌手とその取り巻き連が、演歌を合唱しながら店から出て行った。

「来るたびに、色紙にサインしてやろうって言うんだから。これで七枚目よ。七枚もおんなじ色紙を貰《もら》って、どうすんのさ」

スナックのママは、七枚の色紙をカウンターに並べ、

「色紙なんて、人に頼まれて書くもんよ。自からえらそうに書いてやろうっていうあの神経、たまんないわね。何様だと思ってんの」

と若いバーテンに言った。

「俺に一枚くれよ。女房《にょうぼう》へのおみやげだ」

私が立ちあがってカウンターに凭《もた》れ、字ではなく、ただの太い曲線のもつれでしかないサインに見入っていると、

「俺も貰っとこう。ひょっとしたら一万円で売ってくれっていう馬鹿《ばか》がいるかもしれねェや」

そう島田は言って、一枚の色紙を手に、トイレに入った。私は腕時計を見た。九時を少し廻っていた。電話をかけなければならなかったが、その前に、島田に言っておきたいことがあるような気がして、いったん電話の前に行きかけてやめた。水洗の音がして、島田は色紙をひらひらさせながら席に戻《もど》った。ママが煙草《たばこ》をくわえたまま、

「ほっとくけど、ごめんなさいね」

と声をかけた。私は軽く手を振り、

「ああ、きょうは積る話がいっぱいあってね。ほっといてくれるほうがいいんだ」

と応じた。

「大丈夫？　舌が廻ってないわよ。珍しいわね、そんなに酔うなんて」

新しい客が入ってきたので、また小さな酒場はにぎやかになった。

「俺がお前だったら、やっぱり組合に入っただろうな。共産主義も資本主義も関係なしに

さ」

　すると島田は、

「そうだよ。つまり俺は、人間のしあわせについて、俺だけの考え方があるってことを言いたかったんだ」

　とにわかに熱を帯びた口調で言った。

「聞いてやろうじゃねェか。お前の、その……」

「世の中にはまったく通用しない……」

「そう、その通用しないけど、でもこれが俺の考え方だってやつを、聞かせてもらいやしょう」

「共産主義の矛盾も、資本主義の矛盾も、行きつくところは、おんなじなんだ」

　私は、島田が言ったように、何年も、彼や彼の仲間をドブネズミかゴキブリみたいに嫌ってきたなと思った。東京生まれで東京育ちなのに、どう見てもやまだしにしか見えない、それでいて機知に富んだ島田の、入社して間もない頃を思い出していた。

「主義が、世界を平和にしたことがあったか？　平和主義、リベラリズム。そこにどんな実際的な理論と方法がある。ないよ。みんな絵に描《か》いた餅《もち》だ。嫁と姑《しゅうとめ》の問題を、イデオロギーが解決出来るか？　それすら解決出来なくて、何が主義だ。何が哲学だよ」

　私もグラスにウィスキーを足して、一気に飲み干した。自分の家があるのに、アパートに一部屋を借りて住んでいる母が心にちらついた。

「俺も正直に言うよ。お袋が死んでくれたら、家の中、平和になるのになァって思ったこと、何度もあるぜ。俺の女房も、どうして俺のお袋に勝とうとするんだ。お袋もそうだよ。もう、どうしようもない。家に帰りたくなかったぜ」

　と私は言った。

「そこなんだ」

　島田はふいに私の顔面に人差し指を突きつけた。指は、二本にも三本にも見えた。

「優しくなったらいいんだよ。優しく、優しく、人間がみんな、やさしーくなったら、それでいいんだ。そうなったら、世の中の難しい問題なんて、みんな解決するぜ」

　私は膝《ひざ》を組み直し、溜息をついて目を閉じた。そして、

「どうやって、人間全部が優しくなるんだ」

　と言った。

「そんなことは不可能だ。お前、いまそう思ってるだろう」

「思ってるよ。当たり前だろう」

「ところが俺は、不可能じゃないと考えてる。それ以外に解決の道はないんだ。こんなこと、組合の連中に言ってみろ。俺は吊《つ》るしあげられるぜ。反動分子、日和見《ひよりみ》主義者、戦いの苦しさから逃げようとする臆病者《おくびょうもの》。組合だけじゃないよ。世間もそうだ。鼻で笑って、あいつは

馬鹿だって言われるさ。ガキみたいなこと言うな。だけど、これが、誰に何と馬鹿よばわりされようと、曲げられねェ俺の考え方なんだ」

そういえば、同期入社の連中の中で、この島田が一番優しそうな顔をしていたっけ。私は世界中の人間がみんな優しくなっている光景を想像した。私は島田に右手を差しだし、

「俺は、お前を好きだったんだ」

と言ってから、島田の手を強く握りしめた。

「そうだよ。みんな優しくなりゃいいんだ。簡単だ。お前の考え方は正しい。俺だけは支持するぜ」

「おためごかしじゃなくて？」

「じゃなくて」

島田は両手で私の右手を包み、烈《はげ》しく上下に振った。

「お前が、いま、世界中の人間がみんな優しくなった場面を空想して、この島田の野郎の考え方は正しいと、心から思ってくれたってことが、判った」

「そのとおりだ。俺はほんとにいま想像したんだ。どうして判った」

「判るさ」

島田は手を離し、幾分胸を張る仕草をして笑うと、またトイレに行った。島田が戻ってくるまで、私はずっと電話機を見つめていた。トイレからカウンターを伝って戻ってきながら、

島田は自慢そうに、

「優しくなろう、優しくなろうと努力してるこの俺には、人の心がぴたりと読める」

と言って、汚れたカーペットに尻餅《しりもち》をついた。

「お連れの方、もうそろそろタクシーに乗っけてあげたほうがいいんじゃないの？」

カウンターの客とダイスに興じる手を停《と》めて、ママが言った。島田はよろめいて立ちあがり、尻餅をついた場所を蹴《け》りつけ、

「椅子があったんだ、ここに。ところが坐ったら、なかった。酔ってるんじゃないの」

失礼申し上げましたァ。ママが甲高い声をあげ、客が私を見て笑った。私は、何十年も消息の知れなかった親友と再会したような心持になった。酒のせいじゃない。そう胸の中でつぶやいた。

「あっ？　いま何か言ったか？」

島田に訊かれて、私は思ったことを素直に口に出した。

「俺だって、おんなじ気持だよ。俺が組合員になってから、口をきいてくれたことなんかないんだからな」

島田の首は坐りが悪くなり、電車の座席で居眠りをしている人みたいに、ときどき前後左右に折れた。私は片肘《かたひじ》をつき、顔の右側を凭せかけて言った。

「ここだけの話だけどよ、五年前に、第二組合を作ろうっていう話があったんだ。執行委員

長に浅田、書記長に西浦がなるって青写真が出来てた。共産系の組合の倍以上の組合員を三ヵ月で編成しろってんだ。常務の陣頭指揮で、浅田さんも西浦さんもやっきになってた。俺も誘われたんだぜ。俺は浅田さんに言ってやったよ。御用組合づくりに成功したら、浅田さんの未来は洋々たるものになるってわけですね。あいつもタヌキだから、おいそれと腹の中は見せねェや。共産党員の民間企業での戦略とか目的を御教示下さってだ、会社のために、力を貸してくれときやがった。見え透いたエサをちらつかせて。みんなが組合員になるっていうんなら、俺もなりますよって答えたけど、常務がぽっくり死んじまって空中分解さ」

「あの常務は労務管理のために新聞社から送り込まれたんだからな。そんな計画は、連中がどこかの料理屋で談合したあくる日に、俺たちにはもう判ってたんだ。第二組合なんて、浅田や西浦に作れっこないさ。俺たちの会社が新聞社の直属の広告代理店だと言ったって、所《しょ》詮《せん》は小会社だ。社員数二百三十人なんだぜ。うちの組合員は七十五人に増えてたから、その倍と言やあ、百五十人だ。支社の女事務員もかき集めたって、百五十人の第二組合を作れる道理がないよ」

私は笑った。島田も笑った。笑いながら、私は、

「しかし、お前んとこも、あの手この手と、へこたれないでオルグするよなァ。党員を増やすためだったら、売れ残ってるブスとでも結婚して、その女房をばりばりの闘士に仕立てあげるんだから、頭が下がるよ」

と言った。

「俺《おれ》もそのくちさ。ブスと結婚して、賞《ほ》めてもらったよ。だけど不思議だぜ。暮らしてるうちに夫婦になっちまった。不思議だねェ。妻としての愛情を感じるようになったもんね。人間てなァ、おかしなもんだぜ」

島田はふいに立ちあがり、ダイスをやっている客のうしろから、サイコロを覗《のぞ》き込んだ。そのうち、初対面の客と言葉を交わし、いつのまにか一緒になってサイコロをころがし始めたのである。私は壁に体をあずけ、むやみに煙草ばかり吸った。

「やった！　プラス四千五百点だ」

島田が大声で手を叩き、客のひとりが、

「いやな渡世人が舞い込んできやがったなァ」

と言った。私は微笑《ほほえ》みながら、ママに目配せをして、そっと店から出た。路地をふらつく足で歩いていると、島田が追って来た。

「何だよ。お前のツケなんだって？　冗談じゃねェ。きょうは俺が払う。絶対に俺が払っとくからな」

そう言って、一度酒場に入ったが、すぐまた出てくると、無言で握手を求めた。私は強く握り返した。春の風が、落ちているチラシを私たちの足に絡《から》ませた。

「友だちに戻ろうじゃねェか」

私が言うと、島田は、

「俺はずっと友だちだったぜ。口をきいてくれなかったのはお前のほうだ」

と涙ぐんだ。

島田と別れ、地下鉄の駅で、赤電話のダイアルを廻《まわ》した。出て来た同僚は、数名の社員の名をあげた。

「間違いねェだろうな。署名と印鑑をちゃんと貰ったか？」

同僚は、心配するなと言い、これで百三十人ちょうどになったと伝えた。私は電話を切り、ホームに入ってきた電車に乗った。同僚たちは、これから徹夜で、第二組合結成のビラと、その趣意書の作成にかかるのである。共産系の組合は、党そのものの低迷によって、六十一人に減っていた。新しく就任した常務は、前の常務よりも労務管理、とりわけ組合つぶしのプロであった。私は一年前、常務の命を受けて、一度失敗した第二組合づくりを秘密裡《り》に進めてきたのだった。私の役目は、殆《ほとん》ど終わり、あしたから二年間、第二組合の委員長をつとめるだけである。春闘時と、年に二回のボーナス時だけ、私は組合員たちにほんの少し嘘《うそ》をつけばいいのだ。三年後、私は営業一部の部長に昇進する約束になっている。

家に帰り着くまで、私は「やさしく、やさしくなればいい」とつぶやきつづけた。早く酔いが醒《さ》めてほしかった。駅に着き、改札口を出て踏切りを渡りかけ、ふと母に逢《あ》いたくなった。母は、私たち夫婦の住んでいるところから一駅向こうに住んでいた。随分長いこと迷ったのち、私は結局、家に帰った。

翌朝、私はいつもより一時間早く出社した。執行部の者は全員そうすることを打ち合わせてあったのである。しかし、社の建物の前には、赤い旗が数十本並び、はち巻をしめた共産系の組合員たちがピケを張っていた。

「御用組合の犬」

島田がハンドマイクを口に当てて絶叫した。それに呼応して、「御用組合の犬」と組合員たちがシュプレヒコールをおこなった。私は、強引にピケの中に割って入り、社の玄関を開こうとしたが、何人かに衿首《えりくび》をつかまれて、引き倒された。

「なにぐずぐずやってんだ。力ずくでもいいから入っちまえ」

押し問答をしている執行部の連中に私は怒鳴った。私の声で執行部員たちは、玄関に突入した。私は赤い旗の柄《え》で尻や背を突かれたが、怒号に向かって力いっぱい体当たりし、玄関を抜け、階段を駈《か》けのぼった。私たちのものではないビラが、事務所の壁という壁に張られ、机の上にはガリ版刷りの小冊子が配られていた。私たちのビラや趣意書を張る場所はどこにもなかった。

「かまわねェから、あいつらのビラをはがしちまえ。責任は俺がとってやる」

私は先廻りされてうろたえている執行部員にそう言った。そして、小冊子を手に取り、表紙をめくった。私の名前と常務の名前が、大きなハート形の線の中にあり、「働く者の権利を奪う者と、それに踊らされた出世欲の塊りとの卑劣な結婚」と書かれていた。

「御用組合の犬が、ビラをはがしたぞ」

島田がハンドマイクを私の耳元に近づけて叫んだ。私は島田のハンドマイクを手で払いのけ、きょうから新しい組合の執行部室となる資料室へ走った。廊下で、年取った守衛が私を見るなり言った。

「きのうの夜の十時ですよ。十時から、ビラを張り始めましてねェ。あたしゃ、赤穂《あこう》浪士の討ち入りかと思いましたよ」

復《ふく》讐《しゅう》

授業はすでに始まっているのに、ぼくたち三人は柔道の道場の真ん中に正坐《せいざ》させられていた。

津川の鼻血は止まったが、鼻の穴や唇《くちびる》や顎《あご》や、胸にまで伝って乾きかけている血を拭《ふ》くことも許されず、土気色の顔の中で、そばかすだけが赤かった。

光岡の右の頬《ほお》は膨れ、三本の指の形をしたミミズ腫《ば》れが盛りあがっている。殴られなかったのはぼくだけだが、腰払いで、たてつづけに五回道場に叩《たた》きつけられて、腰は抜けたようになり、正坐していても上半身の揺れを停《と》めることが出来なかった。

体操の教師であり、柔道部の監督でもある神坂は、あずき色のトレーニングウェアを着て、ぼくたちの前を行ったり来たりしながら、

「あしたの朝まで正坐しとれ。ちょっとでも足を動かしたら、目の玉がつぶれるか、鼓膜が破れるか、歯が全部抜けてしまうかのどっちかやぞ」

と言った。口先だけの脅しではないということは、ぼくにはもう充分判《わか》っていた。ぼくは泣きだしそうになったが、震えながらこらえた。

「道場に勝手に入ったらあかんちゅうことは、ちゃんと入口に書いてあるやろ。それが判っ

とって、この神聖な明徳館でプロレスごっこなんかしやがって、俺《おれ》をなめてる証拠や」

神坂は短かい足で用具室に行くと、五十キロのバーベルを片手で持って来、それをゆっくりビニール敷の畳に置いた。彼の上半身は、ねじれた木の巨大な根っこみたいだった。関西の、つねに有名な柔道選手を送り出す大学の出身で、リーグ戦では四年間、先鋒《せんぽう》をつとめてきたのである。唇のぶあつい、ドングリ眼《まなこ》の顔は、いつもしまりがなく、ぼくたちは陰で「アホタンク」と呼んでいた。バーベルの軸棒に腰を降ろし、

「もう足の指には血が通うてないで。あと二時間もしたら、指が腐り始めて、五時間たったら足の甲の皮が腐ってはがれるんじゃ」

と神坂は言った。四十分近く正坐をつづけているぼくの両足には、それが正坐のせいなのか、恐怖のせいなのか、すでに腐り始めているような感触があった。神坂は、トレーニングウェアの尻《しり》ポケットから、くしゃくしゃになった煙草《たばこ》の箱とポルノ写真を出し、ぼくたちの前に放《ほう》り投げて、

「煙草は光岡。このションベン臭い写真は津川。間違いないな」

と念を押した。津川も光岡も力なく頷《うなず》いた。神坂は、ぼくを見やり、ぶあつい唇を歪《ゆが》めると、

「お前も同罪や。三人は仲間やからなァ。お前も煙草を吸うとったやろ。はい、吸いましたと正直に言わんのなら、お前だけ特別に、いまから柔道を教えたってもええんやで」

そう言って立ちあがった。即座にぼくは、

「はい、吸いました」

と声をうわずらせて答えた。

「動くな！」

前後左右にふらついているぼくを怒鳴りつけ、神坂はまたバーベルの軸棒に腰を降ろした。

「俺のやり方が気にいらんかったら、親に言うて、警察に訴えてもええけど、お前らも、この高校をやめさせられるんやぞ」

神坂は低く笑った。ぼくたちの高校は私立の男子校で、夏休み中に校長が代わり、二学期が始まると、とかく問題の多い生徒を情容赦なく退学させるようになった。光岡はケンカも強かったが成績も良く、国立大学をめざしていた。そして、神坂の標的が、光岡であることをぼくは知っていた。新学期が始まってすぐのころ、光岡は柔道部の主将とケンカをし、グラウンドの隅《すみ》で大きな輪を作り、はやしたてている百何十人かの生徒の前で、そいつを立ちあがれなくしたのである。

神坂のドングリ眼が光岡を見すえた。

「おい、光岡。俺に勝ったら、道場から出て行ってもええで。こいつら連れて」

ぼくと津川は、そっと横目で見つめ合い、光岡がどうするのか、息を詰めてうかがっていた。光岡の目が充血してきた。しかし、光岡は正坐したまま、黙りこくっていた。

　二時間後、それぞれ一発ずつ横《よこ》っ面《つら》を張られてから、ぼくたちは解放された。ぼくの耳の奥には金属音が生じて、いつまでも消えなかった。担任の教師は、放課後、ぼくたち三人を職員室に呼び、授業をさぼって三時間もどこへ行っていたのかと詰問したが、ぼくたちは明徳館での出来事をひたかくしにして、昼休みに遊んでいるうちケンカとなり、屋上で腫れを冷やしていたのだと述べた。津川の鼻、それに、ぼくと光岡の頬の腫れによって、ぼくたちはしつこい叱責《しっせき》を受けるだけで済んだ。ぼくたちが叱《しか》られているあいだ、神坂は近くの自分の席で、何度も、

「ああ、体がなまって、しょうがないですなァ」

と聞こえよがしに言った。

　夕暮の駅への道すがら、

「俺は、絶対に、あいつを殺すぞ」

光岡は、酔っ払いみたいな目を地面に落としたまま言った。

「あいつはヤクザや。学校の教師なんかと違う。俺は、あいつを殺すぞ」

「アホ！　返り討ちにあうぞォ。見たやろ？　片手で五十キロのバーベルを持ちあげるんやぞ」

　そう言って津川は鼻をハンカチで隠し、溜息《ためいき》をついた。ぼくは、まだ痺《しび》れている腰に手をあてがい、

「俺、ほんまに足が腐るかと思たで。お前らが、煙草とかポルノの写真をポケットになんか入れとくから、あいつに好きなようにさせてしもたんや。夏休みが終わってから、もう六人も退学させられてるんやぞ。あいつも、やりすぎたと思たから、煙草とポルノ写真を並べて、おあいこにしよったんや」

と言った。ぼくと津川が電車に乗っても、光岡はベンチに坐《すわ》って動かなかった。

ぼくも、それから二、三日は、たまらなく悔しくて、あの頭の空っぽな体操教師に死ぬほどの屈辱を舐《な》めさせてやりたいと思ったが、日がたつにつれ、それは高校時代における妙に滑稽味《こっけいみ》を帯びた思い出として、ぼくの消えない記憶の中に刻まれつつあった。だが、一ヵ月後、光岡と津川は、授業中に生活指導担当の教師に呼ばれて教室を出て行き、それきり戻《もど》ってこなかった。

大学を卒業し、大阪に本社がある製薬会社に就職したぼくは、冬のボーナスを貰《もら》った翌日、遅くまで残業をし、重い足どりで会社を出た。勤め始めて三年がたっていた。ボーナスを全額はたいても払いきれない借金が、競馬のノミ屋に溜まっていた。

国鉄の大阪駅の中央口で呼び停められた。茶色い玉虫色の和服コートを着、白足袋に真新しい草履を履いた男が、

「久し振りやなァ」

と言って薄笑いを浮かべた。ヤクザ映画でも、頭のてっぺんから足の爪先《つまさき》まで、これほど凝ったヤクザは出てこないだろうと思うほどの風態《ふうてい》で、前後にふたりずつ子分らしい男が立っている。

ぼくは、てっきりノミ屋の元締めだと思い、怯《おび》えてあとずさりした。

「俺や、俺や。光岡や」

和服コートの袖口《そでぐち》に両手を突っ込んで腕組みをし、男は言った。

「光岡……？」

「こいつは薄情なやつやで。自分だけ高校を卒業して、大学を出て、いまは一流会社のエリートや」

確かに、それは光岡だった。ぼくは、彼が教室を出て行って以来、一度も逢《あ》っていなかった。

「こんな遅うまで、仕事か。ご苦労さんやなァ」

ぼくは、そっと光岡に歩み寄り、

「久し振りやなァ、元気か？」

とつぶやいたあと、懐《なつか》しさと安堵《あんど》とで、思わず、

「全身、ヤクザーっちゅう感じやなァ」

そう言ってしまった。言ってから、しまったと思ったが、光岡は鷹揚《おうよう》に微笑《ほほえ》み、舌打ちを

して睨《にら》みつけている子分をたしなめると、

「いまから何か用事でもあるのか。ないんやったら、一杯おごるで」

と誘った。光りすぎる靴《くつ》と、ダブルの背広を着た子分たちにちらっと目をやり、

「べつにこれというて用事はないけど……」

そうぼくはあいまいな口調で言った。光岡はまた薄く笑った。そして子分たちに、

「お前ら、もう帰れ。カタギのお方は、お前らみたいなんが傍《そば》におったら、安心して飲まれへんのや。運転手だけ残して帰れ」

と犬を追っぱらうみたいに言った。白いリンカーンが中央口の前に停まっていて、運転手を兼ねた子分が、光岡の姿を見ると素早く後部のドアをあけた。ドアが閉まると同時に、

「ほな、お先に失礼させていただきます」

と口々に挨拶《あいさつ》して一礼し、他《ほか》の子分たちはタクシー乗り場のほうへ消えた。

「ユリシーズへ行こか。長いこと顔を出してないやろ」

「きょうは丸長さんが来てはるそうでっせ」

「マルチョウか……。くたばりぞこないと顔を合わせる必要はないな」

「あの三人、今晩、待たしてありますねん。どないしはります？」

「三人……？　ああ、そやったなァ。どこでや」

運転手は、小指を立てた。

「よし。しょうがないな。行ってくれ」

ぼくは、光岡と子分である運転手との会話を耳にしているうちに、車から降りたくなっていた。けれども白いリンカーンは、新御堂筋から御堂筋へ入り、すでに本町近くまで来ていた。

「桜橋の交差点で、長井とよう似たやつが立ってたから、車をしばらくお前の歩調に合わせて走らせとったんや。気がつけへんかったか？」

光岡は、腕をぼくの肩に廻《まわ》した。ぼくは、気づかなかったと答え、

「津川は、どうしてる？」

と訊《き》いてみた。他《ほか》に話題がなかったからである。ぼくが一番知りたいのは、表具屋の次男坊だった光岡が、高校を退学になったあと、いかなる道筋を経てこの世界に入り、まだ二十五歳の若さで白いリンカーンの後部でふんぞり返って、何人もの子分をかしずかせる地位を得たのかということであった。けれども、それを訊くには、かなりの勇気が必要だった。ぼくは、余計なことには触れないでおこうと決めた。

「谷町で、ホルモン焼きの店をやっとるんや。親父《おやじ》さんの跡を継いだようなもんやな」

それから、光岡はぼくに煙草を勧め、

「津川の恨みは消えてないで。あのとき、アホタンクを殺すっちゅうたのは俺やけど、いまは津川が、俺とたまに顔を合わすたびに、そう言うとるんや」

と囁《ささや》いた。

「長井、お前のことも恨んどったで。俺らが退学になってから、電話一本かけてけえへんようになりやがった。三人、いっつも仲間やったのにっちゅうてな」

「あのあと、担任の先生に呼ばれて、津川や光岡とつきおうてたら、お前もそのうち退学させられるはめになるぞって言われたんや」

光岡は小さく何度も頷き、

「そうか。なるほどな。退学になったら、大学に行かれへんからな」

と言った。ぼくは、まったく別の世界の住人になってしまった光岡の心が読めなかった。かかわりあいを恐れ、ぷっつりとつき合いをやめたぼくを、光岡は彼のひたった世界のやり方で仕返ししようと思っているのではないかという気さえした。

「長井、お前、もう嫁はんはおるんか」

「いや、チョンガや。それどころやないよ」

とだけ答えた。そして、なんとかノミ屋の借金を返済しなければと考え、掌《てのひら》が汗ばんできた。

目立つ外車は心斎橋筋の雑踏にクラクションを鳴らし、宗右衛《そうえ》門町《もんちよう》筋に入ると、一方通行の歓楽街を左に曲がったり右に曲がったりして、「ペリオン」というクラブの前で停まった。玄関に立っていた若い男が慌《あわ》てて車のドアをあけた。ドアはふたつあった。最初のドアを入ったところに受付とクロークがあり、光岡は和服コートを脱いで、係の蝶《ちょう》ネクタイの男に渡し、もうひとつ奥のドアを細くあけて店内を覗《のぞ》いた。ぼくも、蝶ネクタイの男にコートとマフラーを預け、わずかに見える店内に視線を走らせた。客の顔や物腰から推察して、怪しげなクラブではなく、客筋のいい高級クラブであることは判った。光岡は店内に入らず、そのままドアを閉めると、クロークの横の、緑色のカーテンをあけた。よく掃除された絨緞《じゅうたん》が階段にも敷かれている。

「上も店なんやけど、滅多に使えへんのや」

そう言って、光岡は階段を昇った。落ち着かない気持のまま、ぼくもあとにつづいた。二階の重い木のドアの向こうにも、カウンターがあり、洋酒の壜《びん》が並んでいたが、それさえなければ、ぼくの会社の社長室と似ていた。大きな花壜に花が活《い》けてあり、その横に、横長のゆったりしたソファセットが置いてあるのだった。

「気楽にしてくれ、俺の店や」

と光岡は言い、スコッチの壜とグラスを自分で運んだ。高校時代の仲良しではないか。ぼくはふいにそう思い、

「気楽になんか出来る筈《はず》ないやろ。俺は一般の庶民やで。いっときも早よう帰りたいよ。お前は、つまり、ヤーさんになってしもたんや。住んでる世界が違う」

と正直な自分の気持を伝えた。

「そらそうやな」

光岡は、ぼくのグラスにスコッチを注ぎ、ちらっと細くて長い目の中の瞳を向けた。それから、

「ほんまはなァ、きょうはお前を待ち伏せしとったんや。もうじき、津川もここに来よる。さっきの運転手が、もう電話をかけよったやろ」

と言った。ぼくは血の気が引き、どうせ信じてくれないに決まっている話をするべきかどうか迷った。口が腐っても喋《しゃべ》れはしないと思った。けれども、その話は、光岡のほうから口火をきったのである。

「お前、俺と津川とが退学になったあと、卒業するまでの半年間、どんな高校生活をおくっとったんや」

「ひたすら学校の規律を守って、目立たんように気をつけてたよ」

「それだけか？」

「受験勉強で必死やったからな……」

「ほな、俺の聞いた話は嘘《うそ》か。お前は、毎週土曜日の午後、アホタンクに柔道の道場に呼ばれて、腕立て伏せをやらされたやろ。それも、ズボンとパンツを脱がされて」

ぼくの中の血は急激に血管を拡《ひろ》げ、光岡の顔を見ることが出来なかった。光岡は、そのことをいったい誰《だれ》から聞いたのであろう。それればかり考えていた。明徳館の、バーベルとかダ

ンベルとか、掃除用具などをしまってある汗臭い密室での出来事を。

「俺は、確かに毎週土曜日に明徳館に呼ばれたよ。そやけど、ズボンもパンツも脱がされて腕立て伏せをしたっちゅうのは、誰かの作り話や。俺は、あのときとおんなじように、正坐させられとったんや。週に一回、二時間ずつ」

「なんで、そんなことをつづけたんや。俺も津川も、現行犯やったから、言いのがれが出来んかった。そやけど長井、お前は煙草《たばこ》もポルノも、学校に持って来たことなんかなかったんやぞ。用心深かったからな」

「俺、お前と津川が退学になったのに、自分だけが助かって受験勉強してるのが、恥しかったんや。あいつに、毎週いびられることで、多分、お前らに対する罪のつぐないをしてたんやと思うな」

言ってるうちに、ぼくは実際にそうであったかのような気になった。

「あの男、いまは天王寺の麻雀屋《マージャンや》にいりびたっとる。夕方になったら、当直の日以外は必ず来よる。適当に勝たせとけっちゅうて、若い者《もん》に言うてあるんや」

ぼくは、やっと視線を移して、光岡の、冷たい無表情な顔を見つめた。

「アホタンクと逢《お》うたんか？」

首を横に振り、光岡は目を鋭くさせて、

「もうあいつのことを、アホタンクなんて呼ぶのはやめようぜ。神坂でええんや。なんと神坂はなァ、四年前に柔道部を二年連続して全国優勝させた功労者ということで、監督業だけで高給をもろとるんや」

と言い、ほくそ笑んだ。

「殺そうぜ」

ぼくは、スコッチのグラスを持ったまま、

「アホなこと言うなよ。俺《おれ》をそんなことに巻き込まんとってくれ」

と声をうわずらせた。ぼくは帰ろうとして立ちあがりかけた。

「ほんまに殺すのとは違う。社会的に抹殺《まっさつ》するんや。これは津川の考えた作戦や。津川は、長井が賛成したら、やる気やで」

「なんで俺の賛成が必要なんや。やりたかったら、お前と津川のふたりでやったらええやないか」

光岡は、高価なスコッチを生《き》のまま飲み干し、長いソファに横になると、手枕《てまくら》をして、じっとぼくに視線を注いでいたが、やがて、

「お前、悔しないのか。毎週一回、あのサディストの前で、チンポとケツをむき出しにして、腕立て伏せやらされたんやぞ」

「サディスト……？」

「俺はなァ、お前がそんなめに遭わされとったことを聞いて、頭に血がのぼったで。津川は、

ウィスキーの壜を叩《たた》き割りよった。かりにもひとりの人間を抹殺するんやから、あのとき道場で三時間も正坐《せいざ》させられた三人の意見が合わんと、実行に移すわけにはいかんやろっちゅうのが津川の意見や」

「人道的なヤクザなんやなァ。それに似たこと、これまで何遍もやってきたんやろ？」

そのぼくの言葉には答えず、光岡は相変わらず冷たい三白眼をぼくから外そうとはせずに、こう訊いたのだった。

「お前が何をやらされてたのか、俺の耳にどうやって入ってきたと思う？」

ぼくは我知らず顔を伏せ、ソファに坐《すわ》り直すと、スコッチを飲み、煙草に火をつけた。

「神坂の麻雀の相手をしてる若い者《もん》からや。つまり、神坂の口からや。あいつは名前は言いよれへんかったけど、俺にはすぐに判《わか》ったで。あいつは、こう言うたそうや。抵抗出来んやつをいたぶるのは最高や。昔、弱味をつかんで、クソ生意気な生徒三人を張り倒したり腰払いで立てんようにして、道場に三時間正坐させたったことがある。校長が、思いきって生徒の質を変えたい、素行に問題のある生徒はこの際まとめて追っ払えっちゅう方針やったから、特に厄介《やっかい》やった二人は退学にした。もう一人は、俺が毎週土曜日の放課後に、道場の用具室でいたぶってやった。ズボンとパンツを脱がして腕立て伏せをさせたんや。なかなか美少年で、俺はやみつきになってしもた。ほんまは、セーラー服をまくりあげてみたいけど、なんせ男子校やからなァ」

光岡は起きあがり、着物の裾《すそ》を整え、

「神坂の夢を叶《かな》えさせてやろうやないか」

と言った。

「夢が叶うたときが、墜落のときや」

怒りと恥辱が、ぼくの手を震わせ、グラスを持っていられなくなった。くわえた煙草の灰もズボンに落ちた。ドアの向こうから女の声が聞こえた。

「津川さんよ」

光岡が、おう、と返事をすると、パンチパーマをあてた小太りの男が入って来た。着物姿の女も部屋に入り、ドアを閉めると、慣れた裾さばきで、テーブルの横に歩いて来、

「いらっしゃいませ」

とぼくに笑顔で挨拶して、光岡の隣に坐った。小柄《こがら》だが派手な美貌《びぼう》で、着物の上からでもそのひきしまった肉体のなまめかしい起伏を想像させる女であった。

「この店のママや」

光岡はそう紹介したが、彼女が光岡の女であることは一目瞭然《りょうぜん》だった。ぼくは、津川を見た。高校時代と比べて、十五、六キロ太ったようで、似合わないパンチパーマが品を落としていた。けれども、そこだけ彫刻的な鼻筋と、その周りに散っているそばかすによって、ぼくは、乱暴には違いないが機知に富んだ冗談でよくみんなを笑わせた彼の高校時代を、一瞬、

懐《なつか》しく思い出した。

「長井。俺、お前のこと恨んどったんや」

と津川は言って、ぼくの肩を軽く叩いた。

「ホルモンの食いすぎやろ。その腹の出方は何や」

ぼくは津川の腹を指で突いて、笑いたくもないのに笑った。なぜならぼくは、神坂の人生をめちゃくちゃにしてやろうと決めたからである。

「あいつ、腕立て伏せをしてる俺の尻《しり》を、木刀で殴りやがった」

ぼくは呻《うめ》くように言った。

「俺、大学へ行きたかったから、絶対に退学になりとうなかったんや。津川と光岡が辞めさせられたあと、すぐに四人も退学になったから、俺は……」

「よし、決まったな」

光岡は言って、女に何か囁《ささや》いた。

「可哀《かわい》そうに。また私みたいな女が出来るわ」

口とは裏腹に、どこか面白《おもしろ》がっている表情で、女は出て行った。ぼくは、自分がしがないサラリーマンであることを強調し、身の安全を保証してくれと言った。光岡は乾杯の用意をしながら、

「当たり前や、この三人は、誰ひとり手を下さへん。そこらのチンピラが動きよる。チンピ

ラは、俺らのことは知らん。チンピラは自分の意志で動きよる」

　と初めて声をたてて笑った。短かい髪をオールバックにしているせいだけでなく、やはり貫禄《かんろく》と言うしかない何物かが、光岡を、ぼくや津川よりもはるかに年長に見せていた。

　二十歳になるかならないかの、三人の女が部屋に入って来たのは、ぼくたちがスコッチの水割りで乾杯をしたあとだった。三人とも、男好きのする顔立ちで、幾分不安そうに、部屋のあちこちを窺《うかが》っていた。その中の、一番無邪気そうな女に、光岡は歳《とし》と名前を訊《き》いた。

「……十七。福原香織」

　そう答えたあと、ぺろっと舌を出した。光岡は、津川に、

「この子、高二や。どう思う?」

　と真剣な目を走らせた。津川は無言で頷《うなず》いた。あとの二人にも、光岡は優しい口調で、歳と名前を訊き、そして部屋から出て行くよう促した。ぼくは、三人がみな高校生であることを知って、しばらくぼんやり見つめてしまった。そう言われてみれば、子供っぽさが感じられたが、会社の女子社員たちよりも色香に満ち、服の着こなしも垢抜《あかぬ》けていた。

「まあ立っとらんと坐りィな」

　光岡は、香織と名乗った十七歳の娘に、ぼくの横を指差し、懐《ふところ》から札入れを出した。一万円札を十枚、香織の手に載せ、

「俺の大事な友だちや。仕事始めにしては、男前の紳士に当たったもんやな」

と言った。香織は、ぼくを見て微笑《ほほえ》み、悪びれずに横に坐った。それと同時に、津川は立ちあがり、

「俺は帰るで。長井、いつでも俺の店に来てくれよ」

と手を差し出した。ぼくは津川と握手をした。津川は名刺をぼくに手渡し、何食わぬ顔で去って行った。

「次に、ここへ来るときは、この俺の友だちのことは、きれいさっぱり忘れるんやで」

と光岡は香織に言って、彼女の背を手の甲でぽんと叩いた。

ぼくは、白いリンカーンの中での、光岡と運転手との会話が、あらかじめ打ち合わせしてあったものだということを知った。十五分ほどたって、ぼくは「ペリオン」を出た。香織がついて来た。しなだれかかってぼくの腕に絡《から》みつき、

「なんか、どきどきするなァ」

と囁いた。

「俺と遊んだことにしとけよ。俺は帰るから」

「どきどきするのは、これからのことと違うねん」

ぼくは歩を停《と》め、艶《つや》やかな香織の頬《ほお》を見やった。

「学校の制服を着て、強姦《ごうかん》される芝居も平気やけど……、そのあとのことを考えたら気が重いなァ」

なるほど、津川のたてた作戦とは、そういうことだったのか。ぼくは、あくまでとぼけつづけようと決め、光岡が自分の金でお膳立《ぜんだ》てしてくれた女子高生との一夜を頂戴《ちょうだい》しようと決めた。何日か後に、神坂がやるのと同じやり方で……。

「強姦される芝居て何のことや？」

香織は、ぽかんとぼくの表情を窺《うかが》い、

「あっ」

と小さく叫んだ。

「私、人まちがいしたみたい。ねェ、社長には、私が言うたこと黙っててね」

「強姦芝居のことか？」

「うん。私、ひどいめにあわされる」

「俺には何のことか、さっぱり判らんから、喋《しゃべ》り様がないよ」

香織は、ほっとして、また体を寄せてきた。

「強姦か。俺も一遍やってみたいな。ほんまにやるほど悪人やないから、きみを相手に芝居で」

「ええわよ。何でもしてあげる。あいつが帰ると言うても帰したらあかんぞって、社長に念を押されてるから」

ぼくと香織はタクシーを停めた。高校時代、雄弁だった筈《はず》の津川の、口の重さが妙に心に残っていた。それは、年齢を経たせいではないように思えた。

「ホテル代も払わすなって言われてるの」

香織は、ぼくの耳にひっつくくらい唇《くちびる》を寄せ、そう囁いた。


年が明けて十日ほどたった土曜日の午後、ぼくは社の同僚にしつこく誘われて、麻雀をつきあわされた。ぼくは麻雀よりも、競馬のほうが気になり、雀荘の親父《おやじ》が予想紙をひろげて見入っているテレビにしょっちゅう目をやった。

「いっつも南場で停まるなァ。レートを上げようぜ。そやないと長井の心はここにあらずや。馬ばっかり見とるから、ツモるのも捨てるのも遅いんや」

同僚の一人が、麻雀台の隅《すみ》を軽く叩きながら顔をしかめた。メイン・レースに出走する馬が本馬場に入場したあと、番組の中に組み込まれたニュースの画面に変わった。ぼくは、リーチをかけ、何気なくテレビの画面を見た。神坂の顔写真が映った。

「ちょっと待ってくれ」

ぼくは三人の同僚にそう言い、アナウンサーの声に耳を傾けた。現職の高校教師が、夜、帰宅途中の女子高生を車に連れ込み、乱暴した。乱暴された女子高生の訴えにより逮捕され犯行を認めた。神坂は、××高校の柔道部を二年連続で全国優勝させた柔道部監督として、高校柔道界に知られている。アナウンサーは、およそそのように伝え、次に、随分歳をとったが、見覚えのある校長が神妙な顔つきでインタビューに答えている画面を映し出した。

「あれ？　長井の出た高校と違うか？」

短かいニュースタイムだったので、コマーシャルにつづいて、画面は競馬場に戻《もど》った。ぼくは、誰《だれ》かの問いにも答えず、自分の牌《パイ》を見つめた。けれども、リーチをかけたことなど念頭になかった。二十一回、二十二回、二十三回、という神坂の声と、彼の持つ木刀の先っぽが、力尽きて突っ伏すぼくの、むきだしになった部分にこじ入れられる感触が甦《よみがえ》った。ぼくはなぜ、毎週土曜日、あの卑《いや》しい男のもとに通ったか。ぼくは、あそこで何をしたか。木刀は、やがて何に変わったか。彼が卑しければ卑しいほど、ぼくの美しさを賞《め》でる言葉で、ぼくはどれほど弛緩《しかん》したことか。

「こら、もうへたばったんか」

ぼくは、木刀が怖いふりをして、再び腕立て伏せをつづける。力が弱まるごとに、尻だけが上下する。

「三十二回、三十三回、三十四回。こら、しっかりつづけんか。尻だけ上げたのは数のうちに入れへんぞ」

恥しい形になった性器を隠すために、ぼくは息を荒らげて休憩する。あの卑しい男は、軽軽とぼくの腰を浮かす。その瞬間を、ぼくはどんな心で待ったのか。あの男が卑しければ卑しいほど、ぼくは、清楚《せいそ》で類稀《たぐいまれ》な美貌の、無抵抗な女になっていく……。

バケツの底

ぼくは一度、子供のときに、そこへ行ったことがある。松林が、六甲山から伝い流れてくる芦屋川《あしや》の終着点付近を包んでいて、茶色い粗い砂が海の堤防へとつづいていた。小学校三年生のぼくは、近所の中学生に連れられて行ったのだが、海水にひたった記憶はない。舟虫の這《は》い廻《まわ》る堤防の上を走ったり、近くの小商《こあきな》いの店で、かき氷を食べたのを覚えている。海水浴をするつもりだったのだが、堤防の向こうは汚染し始めた深い海で、結局、水着にも着換えないまま、夕暮まで堤防の上で遊んでいたのだろう。

けれども、いまそこには海がない。芦屋川の横の枯れた疎水路《そすいろ》を渡ると、広大な原っぱが、晴れた日は砂煙でかすみ、雨の日は粘りつく泥濘《でいねい》に弾《はじ》けるしぶきで幕を張られ、あたかも果てしない荒地みたいにひろがっている。〈芦屋浜団地建設共同企業体〉の立て札を掲げたにわか造りの受付には、警備会社の初老のガードマンが、出入り業者の車をチェックしている。海を埋め立て、そこに巨大な団地と街を作るために、建設会社と電機メーカー、それに空調機メーカーの三社が、共同企業体を設立し、第一期工事が始まっていたのである。

きっと、最初に乗り入れたダンプカーの運転手が、どこをどう走ったらいいのか判《わか》らず、気まぐれに曲がりくねって進んだ跡に道が出来たのに違いない。曲がる必要のないところに急なカーブを持つその道を軽トラックで十分ほど走ると、やっとひとつ水色のプレハブが見えてくる。それを見るたびに、ぼくはいつも、発作の前兆の軽い眩暈《めまい》に襲われた。

工事事務所のプレハブは、全部で三十以上あり、それぞれに所長と資材担当の主任がいるので、とても一日で廻りきることは出来なかった。しかも、このような大工事では、資材はすべてメーカーとの直接取引きか、大手の資材販売会社があいだに入るかしているので、ぼくの勤める社員三人のちっぽけな建築金物店などは、ほんのかすかなおこぼれを頂戴《ちょうだい》するのが関の山なのである。

ところが店の主人は、

「急に帚《ほうき》が一本必要になったとき、メーカーに註文《ちゅうもん》してたって間に合いまへんがな。そんなことが三十以上の事務所で起こったら、樋口《ひぐち》さん、一日三十本の帚が売れまんねんで。何でもええさかい、通い詰めて、開拓してきなはれ」

と言い、ぼくの仕事の半分を、その途轍《とてつ》もない大工事現場の、こぼれ物集めに傾けさせた。

店の主人が、ぼくを「さん」づけで呼ぶのは、彼の営む「マガキ商会」の中で、ぼくだけが大学を卒業していたからである。しかも彼は、いささか異常なほどの学歴コンプレックスの持主であった。

一ヵ月前、新聞の求人広告を見てマガキ商会へおもむいたぼくの履歴書と顔とを交互に見つめ、

「へえ、大学を出はって、こんな一流会社に勤めてはった人が、なんで私とこみたいな金物屋で働いてやろうと思てくれはったんです？」

と、作り笑いをすると般若《はんにゃ》のようになる顔で訊《き》いた。本当は、妻も子もあり、就職してまだ五年ほどしかたっていないのに、どうして名の通った会社を辞めたのかを訊きたがっていたのであろう。しかし、ぼくはその理由を口にすることは出来なかった。

「友人と共同出資で商売をするつもりだったんですが、途中でうまく行かなくなりまして……」

とぼくは嘘《うそ》をついた。求人広告には、ただ、社員募集とだけしか記載されていなかったので、ぼくは事務職なのかどうかを訊いた。事務職でないのなら、自分には向かないから、別の働き口を捜したい、と。すると彼は、

「中で働く人も、これからは絶対に必要でおまんねや」

そうあいまいな笑顔で答えた。二、三日したら、採用するかどうか連絡すると間垣宏次《まがきこうじ》は言ったが、その夜、ぼくの住む借家に電話をかけてきて、もしまだ気が変わっていないのなら、あしたからでも来てもらいたいと伝え、

「樋口さんみたいな人が、うちで働いてくれるんなら、私も計画を早よう進められますねや」

と嬉《うれ》しそうにつけくわえた。彼は、品物を工事現場に届ける配達員をひとり補充するつも

りだったのだが、ぼくの略歴を見て考えを変え、別にもうひとり、配達専門の人間を雇うはめになった。それを、ぼくは勤め始めて三日目に知った。

ぼくの住まいとマガキ商会とは、歩いて二十分足らずの距離であった。この徒歩通勤が出来るということと、事務仕事であるという点によって、ぼくはマガキ商会で働こうと決めたのである。金物屋であろうが八百屋であろうが、パチンコ屋であろうが、ぼくには何でもよかったのだ。しかも、借金をしつくして、金を借りるところはもうどこにもなかったし、二人目の子供は伝い歩きを始めていた。ぼくはとうとう働かなければならない瀬戸際《せとぎわ》まで来ていたのである。

三日間、ぼくは電話で註文を受け、夜遅くまで伝票の整理をさせられた。建築金物の種類は、おそらく何万もあるに違いない。

「奥井組の小学校現場やけど、四十キロのナメシを五つ、十五センチのパイルを五本、大至急持って来てくれ」

工事現場の男の言葉を、ぼくは早口で復唱する。だが、それがいったいどんな品物であり、何に使うのか、見当もつかない。

「シュロあるか？　五十本や。いますぐ要るんやけどなァ」

「はっ？　シュロですか」

ぼくは、送話口を押さえ、主人に、シュロを五十本註文されたが、どう答えたらいいかと尋ねる。

「シュロ帚のことでんがな」

「ああ、帚ですか」

「大学では、帚のことは勉強しまへんでしたか」

そう言うときの主人の澱《よど》んだ目をした笑い顔は、露骨に嗜虐性《しぎゃくせい》を帯びている。ぼくが勤める前までは、ほとんど十分置きにかかってくる各工事現場からの註文は、主人の女房《にょうぼう》が受けていた。彼女は亭主《ていしゅ》よりも六つ若く、三十九歳で、中学生の息子を学校へ送り出し、洗濯物《せんたくもの》や掃除を済ませてから店へやって来る。愛想も良く、働き者だが、どことなく垢抜《あかぬ》けしない顔立ちから疲弊を漂わせていた。ぼくという働き手が増えたことで、かなり体はらくになるが生き甲斐《がい》も減る。それに、この青年がいつまで勤めつづけるのか判ったものではない。そう思っているようであった。主人は、自分の妻と、三年も前からマガキ商会で働いている中尾という二十二歳の配達員に言った。

「おい、樋口さんは、シュロ帚のことも知りはらへんで。大学では教えてもらわんかったそうや」

ぼくは馬鹿《ばか》らしくて、知らん振りをしていた。すると、トラックに荷物を運びながら、中尾がそっとぼくを呼んだ。

「あの人はねェ、ぼくのことを中学しか出てないっちゅうて軽蔑《けいべつ》するくせに、大学を出た人を小馬鹿にしてるんです。いじめとうて、しょうがないんです。気にせんと、ほっといたらええんです」

二十二歳なのに、ふたりの子供がいる中尾は、彫の深い端整な顔で用心深く事務所を窺《うかが》いながら言った。ぼくに対しては親切だったが、あまり若いうちから世の中に出た人間にありがちな姑息《こそく》な目を垣《か》い間《ま》見せた。

「きょう、昼から、もうひとり新しい社員が来るそうです。配達専門の。社長は、わざわざ中卒を選んだんです。簡単に辞められへん人間を」

その新しい社員の顔を見る前に、ぼくは社長の車に乗せられて、各工事現場に挨拶《あいさつ》をするため出かけた。

「建築金物のことを覚えるのは、机に坐《すわ》っとったんでは三年も四年もかかります。樋口さん、しばらく営業をやって、工事現場を廻ってみはったらどうです？　そのほうが、早いこと覚えられまっせ」

ぼくは、それならば辞めさせてもらうとは言えなかった。やっとぼくが働き始めて、妻の表情に、わずかながら明るさが戻《もど》ったのを考えると、どうやら最初からそのつもりだったらしい主人の腹が読めても、

「そうですね」

と力弱く答えていた。また、四六時中発作の心配をしなければならない……。そればかり

が心にのしかかってきた。

「大学出の人でないと、ここは切り崩せまへんねん」

芦屋浜団地の、途轍もない工事現場に直行すると、主人はそう言った。

「大学出なんて、腐るほどいてますよ」

ぼくは、うんざりして言った。

「この現場にも、腐るほどいてまんねや」

そして彼は、共同企業体の中枢《ちゅうすう》である五番棟《とう》にぼくを伴ない、資材担当の、ぼくとおない歳《どし》くらいの男に紹介した。けれども、その男は、出来あがったばかりのぼくの名刺をゴミ箱に捨てた。隣の六番棟、七番棟でも、所長と主任に挨拶《あいさつ》をして、そこから車で五分ほど離れた八番棟へ行ったときは、もう日も暮れかかっていた。強い雨の中で、コンクリートのパイルを打ち込む作業が終わりかけていて、みな忙しそうだった。杭《くい》打ち機の音が消えるまで、ぼくたちは八番棟の二階に立って待っていた。ヘルメットと作業服を身につけた何人かが戻って来て、手と顔を洗うと、早速、麻雀《マージャン》を始めた。仕事をやっと終えて遊んでいる彼等《かれら》に、主人は、軍手は要らないか、シュロ帚も竹帚も安くしておくとしつこく話しかけた。

「おっさん、商売熱心なのは結構やけど、もう帰ってくれへんか」

色白の、下ぶくれした、吊《つ》り目の男が、舌打ちをして言った。

「このかたがなァ、ここの現場の主任さんや。徳田さんていいはんねや。お名刺をいただいて、あんたもちゃんとご挨拶しときなはれ」

するど、徳田は麻雀台を叩《たた》き、

「お名刺みたいなもん、俺《おれ》は持ってないで。お前の名刺なんか要らんわい」

とぼくを見て怒鳴った。徳田は、東の一局で、二回もたてつづけに、親に満貫を打ち込んでいた。ぼくは、徳田のうしろに立っていたので、彼の上《かみ》と下《しも》の手を見ることが出来た。上の男がリーチをかけた。二筒と五筒を捨てて、八筒で待っている。徳田は、迷ったあげく、八筒を切ろうとした。ぼくは、誰《だれ》にも気づかれないよう、徳田の背中を指で押した。彼は、それがどういう意味かをすぐに理解し、捨てかけた八筒を戻し、他《ほか》の牌《パイ》を捨てた。ぼくはそうやって、徳田が打ち込むのを、五回も助けてやった。その間、主人は、帰り支度を始めた所長に、入場証を一枚、割り当ててくれと頼み込んでいた。入場証がないと、受付で面倒な手続きが必要なのである。所長は、

「金物屋に、いちいち入場証なんか出しとれるか。こっちが用もない業者に、出す必要もないやないか」

と歯牙《しが》にもかけず帰って行った。ぼくたちが引きあげようとして、事務所の戸をあけたとき、徳田が牌に目をやったまま、

「おっさんの顔は見るのもいややけどなァ、その新入社員にやったら、一枚だけ割り当てたってもええで。あした、手続きにこいや」

そうぶっきらぼうに言った。帰りの車の中で、主人は歯ぐきを見せて笑いながら、

「やっぱり私の見込んだとおりや。大学出は、大学出同士でないと、話が合いまへんねや」


梅雨入り宣言が出された翌日から、烈《はげ》しい雨が五日間降りつづいた。ぼくは、朝の十時だというのに、車のヘッド・ライトをつけて、芦屋浜の埋立て地を右に左に進んだ。うっかりぬかるみに入ったら、車は動けなくなる。向こうからダンプカーが来るたびに、ぼくは車を停《と》めた。ダンプカーも横滑りしながら進んでくるので、すれちがうときにぶつかる危険性があった。掘り返した泥《どろ》を満載しているダンプカーの滑る角度は大きく、そんなものに衝突されたら、軽トラックの中のぼくは、車もろともつぶれてしまいかねないのだった。いつもは、受付から八番棟まで十二、三分で行けるのに、その日は三十分近くかかった。二度、猛烈な勢いで滑って来た十トントラックが顔前に迫り、ぼくは血の気を失なってどしゃぶりの雨の中へ走り逃げたのである。

「もっと端へ車を寄せんかい。アホンダラ!」

ダンプの運転手は大声で怒鳴ったが、それ以上端へ寄れば、車によって作られた道をはずれ、腐肉みたいな泥に沈んでしまいそうだった。

その風貌《ふうぼう》からは想像もつかないほど麻雀の下手な徳田は、ぼくを見ると妙に人なつっこい笑みを浮かべたが、釘《くぎ》一本註文してくれたことはなかった。そこいらの小さな飯場ではない

のだから、毎日通い詰めるだけではらちがあかないことをぼくは承知していたが、店の主人に、いささか多すぎる捨て金を使う度量はなかったし、ぼくはぼくで、以前の会社でやった手口を使ってまで、註文を取ろうという気もなかった。盆暮のつけ届け、取引き額の三パーセント還元、接待のお座敷麻雀……。ぼくはそんなことに疲れ切っていた。

雨滴のしたたるヘルメットを脱ぎ、事務所の戸を閉めて挨拶したぼくに、徳田は珍しく自分から話しかけてきた。広い事務所には、徳田以外誰もいなかった。プレハブの屋根を打つ雨の音が、事務所に轟音《ごうおん》をもたらしている。

「お前の店に、ポリバケツの蓋《ふた》はないか？」

「ポリバケツですか？」

徳田は、机の上に足を投げだし、首を横に振った。

「蓋や。蓋だけや」

「蓋だけ……」

「それも、四百八十二個や。今日中に」

ぼくは、電話を借りて店の主人に相談した。蓋付きのポリバケツは、両方で一式になっているので、蓋だけ仕入れることは出来ないだろう。主人はそう答えてから、

「何に使うのか、訊いてみなはれ」

と言った。ぼくはいったん電話を切り、雨合羽を脱ぐと、徳田の近くの椅子《いす》に坐り、その

使い道を質問した。鼻の先を爪《つめ》で掻《か》きながら、唇《くちびる》を突き出したり歪《ゆが》めたりしていたが、

「この雨で水溜《みずたま》りが出来て、打ち込んだコンクリート・パイルの穴がどこにあるのか、見分けがつかんのや。きのうの夕方、ひとり大怪我《おおけが》をしよった。片足がパイルの穴にはまって、キン玉がつぶれたんや。ショックで心臓がおかしなって、もうちょっとで死ぬとこやった」

と説明した。

「パイルの穴に蓋をしたいんや。わざわざ作らせる予算も時間もない」

彼は苛《いら》だたしげに立ちあがり、ハンドマイクを持つと、窓から叫んだ。

「倉持、おーい、倉持、事務所へ戻ってこい」

確かに、どこにパイルが打ち込んであるのか判《わか》らなかった。黄色いヘルメットをかぶっていなければ、どれが人間で、どれが泥なのかも区別がつかないのである。どしゃぶりの雨とぬかるみの中から、黄色いヘルメットがひとつ近づいて来た。

「どじ踏みやがって」

徳田は、入口に立てかけてあるモップを蹴《け》り倒した。鉄の階段を駈《か》け昇って来たのは、まだあどけない顔をした気弱そうな青年だった。徳田は、その倉持に当たり散らした。

「お前、あいつが近道をしようとして、パイルの穴だらけの場所を横切るのを見とったんやろ。なんで留めへんかったんや、ドアホ！」

倉持はうなだれ、小声で、すみませんと言った。

「なんか、ええ方法はないか？」

徳田はぼくに訊いた。

「餅《もち》を焼いたりする網はどうですか」

徳田は考え込み、

「一枚百円で、お前の店、商売になるか？　四百八十二枚やぞ。こっちは百円以上出されへんのや」

と言ったが、意味ありげな目つきに変わっていた。かりに、餅を焼く網の仕入れ値が三百円でも、それはそれでいいではないかとぼくは思った。十万円弱の損だが、徳田はその分をいつか埋め合わせてくれるだろう。ぼくはもう一度電話を借り、主人に理由を話して、餅を焼く網を四百八十二枚至急に仕入れられるかを訊いた。

「予算は、一枚百円しか出せないそうです」

それまで機嫌《きげん》良くぼくの話を聞いていた主人は、長い沈黙ののち、

「樋口さん、まさか、もう請け合《お》うてしもたんと違いますやろなァ。百円で売ってたら、いったい何の商売ですねん。倍は損しまっせ」

とあきれたように言った。傍《そば》に徳田と倉持がいるために、ぼくは自分の考えを述べるわけにはいかなかったし、所詮《しょせん》、目先のことしか頭にない吝嗇家《りんしょくか》と議論する気力もなかった。

「もっと頭を使いなはれ」

主人は言った。

「さっき、ポリバケツの蓋やて言いはりましたやろ。その発想を転換するんですわ。蓋と違うて、底を利用しまんねや。それも、ブリキのバケツの底ですがな」

「はっ？」

「バケツの底やと言うことは黙っときなはれや。わざわざ、ブリキの板をくり抜いたんやと言うとくんです。出血大サービスやて。いまは、ブリキのバケツを作ってる町工場なんか、ポリバケツに押されて、半分つぶれかかってるから、バケツの底も埃《ほこり》をかぶってます。一枚十円か二十円で喜んで売ってくれまっせ。樋口さん、ブリキのバケツはねェ、周りと底とは別々に作って、あとでハンダ付けしまんねや」

くぐもった長い笑い声のあと、主人は、

「パイルの外周の直径を訊《き》きなはれ」

と言った。徳田は、机の上のノートをめくり、

「三十五センチが二百三十二本。三十センチが百六十三本。二十五センチが八十七本や」

そう読みあげながら、メモ用紙に書き写してぼくに手渡した。ぼくは、主人にその数字を伝えた。縁《ふち》に三ヵ所穴をあけて、針金を通さなければパイルに固定出来ないだろうから、その作業に時間がかかる。しかし夕方の四時ごろには中尾に届けさせる。主人はそう言って電話を切った。

「餅を焼く網は、子供ならともかく、おとなの体重に耐えられんやろから、特別にブリキで蓋を作らせてもらいます。なんとか急がせますけど、届くのは夕方の四時ごろになると思うんです」

「ブリキで蓋を作らす？　そんなもん、一枚百円で出来るんか」

「初めての仕事ですから、百円で納めさせてもらいます」

徳田は、持っていたボールペンを倉持に投げつけ、

「お前のお陰で、マガキ商会に借りが出来てしもたやないか」

とわざとらしく溜息《ためいき》をついた。四時までどうやって時間をつぶそうかとぼくは考えた。手足が冷たく、事務所の中が白っぽく見え始めたので、急いで店へ帰ろうと決め、

「四時ごろ、別の者が品物を持って来ます」

そう言って事務所を出、ヘルメットをかぶり、軽トラックの運転席に坐った。ぼくは、泥を積んでいるダンプカーが走りだすのを待った。ダンプカーのうしろに、少し間隔をあけてついて行くのが一番安全だろうと思ったのである。ぼくは何台ものダンプカーを見ていた。倉持が雨合羽を着て、ぼくの車の前を横切り、ぼくに気づくと、ガラス窓越しに、中に入ってもいいかと訊いた。ぼくはドアをあけてやり、徳田からは見えない場所に車を移した。

「ブリキの蓋、もっと早く届きませんか」

倉持は雨合羽のボタンをあけ、作業服から煙草《たばこ》を出すと、ぼくにすすめた。

「なんでです?」

　ぼくは訊いた。

「徹夜になっても、ぼくひとりで、四百八十二本のパイルに蓋を付けろって言うんです」

「倉持さんひとりで?」

「自分のミスを、第三者になりきることで、誤魔化すつもりなんです。怪我人が出たのは、ほんとは徳田さんのミスなんやけど……」

　深さ二十メートルのパイルを打ち込んである部分には、それを示す赤い旗を立てるのが今回の工事の安全基準なのだが、徳田は二十センチ近く地上に突き出ているパイルがまさか隠れてしまうほどの大雨が降るとは予想していなかったので、旗立ての作業をはぶいたのだ。

そう倉持は言った。

「あーあ、海の上に町を作るなんて、あんまりええ仕事とは思えんなァ」

　その言い方が面白《おもしろ》くて、ぼくは声をたてずに笑った。

「樋口さんも、マガキ商会に入って、まだ間《ま》がないんでしょう? ぼくも今年入社したばっかりです」

　ぼくは、大学を卒業して社会に出たばかりの自分を思い浮かべた。

「なんで前の会社を辞めはったんです?」

と倉持は訊いた。彼は、ぼくが以前勤めていた会社の名も知っていた。

「間垣さんが、うちにこんな社員が入ったんや言うて、あした挨拶《あいさつ》にこさせます、よろしゅうお願いしますって、あっちこっちで頭を下げてはりましたから」

「恥しいことしよる男やなァ」

とぼくはつぶやき、腹立ちまぎれに、軍手で車の窓の曇りを拭《ふ》いた。

「ブリキの蓋を一枚取り付けるのに、何分ぐらいかかるでしょうかね？」

倉持は、しきりにぼくに話しかけた。

「さあ……、一分ぐらいでしょう」

「一分か……。一時間で六十枚。うわあ、八時間もかかるがな」

倉持は両の掌《てのひら》で頭をかかえこんだ。

「誰かが手伝うてくれますよ。新入社員の倉持さんが、この雨の中で、ひとりで五百本近いパイルに蓋を取り付けてるのを見て、知らん振りしてる人ばっかりでもないでしょう。四人でやったら、三時間もかかりませんよ」

ぼくはそう言って倉持の肩を叩いた。

けれども、予定より三十分早く、倉持が太股《ふともも》まであるゴム長を履いて、取り付け作業を始めても、誰も手伝おうとする気配はなかった。徳田が受領書にサインをするのを待ちながら、ぼくは、ますます強くなった雨を透かしてちらつく小さな黄色い点ばかり見ていた。

「倉持さんひとりで、蓋を付けるんですか？」

ぼくはわざと、雑談に興じている他《ほか》の作業員にも聞こえるように訊いた。

「修業や、修業。俺も入社した年は、もっときつい仕事をさせられたもんや」

徳田は事もなげに言い、自分の仕事に取りかかった。下で中尾が待っていた。彼のトラックには、ブロックと四十キロの鉄線が積まれている。これから堺の工事現場へ届けなければならないとのことだった。ぼくは倉持と一緒に食堂棟で昼食をとったあと、恐れていた強い発作に襲われて、軽トラックの中で横になり歯をかみしめていたのだった。逃げてやりすごそうとすれば、いつかもっと悪い環境へと追い込まれていくのだなァと思いながら。

「俺、もう二つか三つ、他の事務所を廻《まわ》ってから帰るよ」

そのぼくの言葉で、中尾は軽く会釈《えしやく》して行きかけたが、背を丸めて戻《もど》って来た。

「うちの社長の趣味、何やと思います？」

「さあ……、仕事か貯金か、そのへんやろな」

ぼくは遠くの黄色い点を見ながら言った。人差し指と中指のあいだに親指を挟《はさ》み、中尾はそれをくねくね動かした。

「嫁はんと毎晩、ですねん。喫茶店で珈琲《コーヒー》を飲むなんてこと、この三年のあいだ一回もしたことないんですよ」

「信じられんなァ」

「そやけど、ほんまですねん」

それから中尾は、月の売り上げが一千万円を超えると、社員に大入り袋が出されるのだと耳打ちした。

「へえ、まんざらケチでもないんやなァ」

「なんぼ入ってると思います？」

「一万円？　いや五千円ぐらいかな」

中尾は運転席に坐《すわ》るとエンジンをかけ、

「百円玉が二つです」

唇をめくりあげて笑い、去って行った。ぼくは転がっているブロックのかけらを蹴り、声を殺して笑った。しつこい咳《せき》みたいに、笑いはぼくの喉元《のどもと》からいつまでもこみあがった。どうにでもなりやがれ。胸の内でつぶやき、ぼくは再び二階へ上がると、徳田に、

「作業服と、あの太股まであるゴム長を貸して下さい」

と頼んだ。徳田はしばらくぼくを見つめていたが、やがて薄笑いを浮かべ、入口の横の物入れを指差した。ぼくは、ネクタイを外し、背広とカッターシャツを脱ぎ、体に合いそうな作業服を着た。そして、上着とズボンとに別れたぶあついビニールの防水服をその上に着て、階下へ降り、黄色い点に向かって歩いて行った。

一キロ四方にわたって、二メートルぐらいの深さで土が掘り返され、そこにコンクリート・パイルが打ち込まれてあった。固められているとはいえ、人工的に作った土地の芯《しん》は弱

く、雨水と泥《どろ》は混ざって、あちこちから流れ注ぎ、段差の縁はひっきりなしに崩れつづけている。

「手伝いますよ」

雨の音でぼくの声は消され、二回大声を張りあげてやっと倉持の耳に達した。倉持は顔をあげ、泥まみれの顔で微笑《ほほえ》むと、

「軍手をはめんとブリキで指を切りますよ」

「もう何枚取り付けました？」

「三十二枚」

ぼくは、水溜《みずたま》りの中を摺《す》り足で進み、倉持の近くへ行くと、しばらく彼の手順を見ていた。パイルの先から五センチほど下に釘《くぎ》が出ていて、そこに針金を巻きつける。慣れれば一枚取りつけるのに一分もかからないが、面倒なのは、水溜りの底のぬかるみに足を取られないよう歩くことだった。

「とにかく、前を見んようにしましょう。途方に暮れますから」

と倉持は言った。一枚取り付けるたびに、ブリキを打つ雨の音が大きくなっていった。

「田植みたいやなァ」

ぼくは、十分もたたないうちに腰が痛くなってきた。軍手の片方とか、煙草のフィルターとかが、泥水に浮かんでゆらめいている。六番棟と七番棟の明かりが消え、ダンプカーの数

が減った。倉持はビニール袋に包んだ懐中電灯でぼくの手元を照らし、

「この調子やったら九時前には終わりそうですね」

と話しかけてきた。

「ぼく、芦屋の山手にあるスナックにボトルを置いてあるんです。ピザのうまい店なんです。終わったらご馳走《ちそう》しますよ」

ぼくは、ブリキの蓋《ふた》を取り付けていきながら、

「せっかくやけど、外で食事をするの苦手なんです。おかしな持病があるから」

と答えた。

「持病……。どんな持病です？　こんな雨の中で、泥水につかっててもええんですか？」

「いや、かえってこんな場所のほうが安心なんです」

倉持は、作業の手を停《と》め、少し当惑顔でぼくを見やった。

「三年前に突然かかったんです。ひとりで電車に乗られへんちゅう病気に。電車に乗ると、心臓がドキドキして、もういまにも死ぬような気がするんです」

「へえ……」

「そのうち、タクシーにもバスにも乗れんようになって、取引き先の人と仕事の話をしてる最中にも気分が悪うなるようになったんです。いろんな病院に行ったけど、行ってないのは精神科だけ。たぶん、そこへ行くのが正解やと思うんですけどね」

倉持の顔に不安と怯《おび》えが生じたので、ぼくは笑顔で、

「人に危害を加えたりする病気とは違うんです。死の恐怖と発狂の恐怖で息も絶え絶えになるだけです」

と説明した。けれども、どんなに説明されても理解しがたいことを、ぼくは知っていた。妻でさえ、発作が起こったときのぼくの症状や苦しみを理解するのに二年近くかかったのだから。会社の上司は、しばらく気楽な仕事に変わってみたらどうかと、姫路営業所への転勤をほのめかせた。どこへ行っても同じだということは、ぼくが一番よく知っていた。そして姫路営業所は、社員のあいだで別名〈流人島〉と呼ばれていたのである。ぼくは発作の恐怖に耐えきれず、会社を辞めたいと妻に言った夜のことを思いだした。

「病気を直して、一から出直したいんや」

「会社を辞めたら、病気は直るのん？」

それから妻は、いつまでも寝つかない子を膝《ひざ》に乗せ、自分に言い聞かせるみたいに、

「しばらく休んだら直るよね。直ったら、なんぼでも働くところはあるよね」

と言って微笑んだのだった。

一時間近く、ぼくと倉持は言葉を交わさず作業をつづけた。もう殆《ほとん》ど手元以外見えなかった。

「この腰の痛いのと寒いのだけはたまらんなァ」

ぼくは、そうひとりごちて、腰を伸ばした。ブリキを打つ雨の音は、脳天に突き刺さるほど烈しい。

「発狂の恐怖って、どんな気持です?」

いつのまに近づいて来たのか、目の周り以外は泥だらけになった倉持がうしろから訊いた。ぼくは適当な言葉がなかったのでこう答えた。

「そのほうが、死ぬよりも怖いって気がしますねェ」

ふいにサーチライトに照らされ、徳田の、ハンドマイクを通した声が聞こえた。

「おーい、あと何枚や」

「三百枚ぐらいです」

倉持が叫び返した。けれども、何度大声を張りあげても、倉持の声は、徳田には聞こえなかった。倉持は舌打ちをし、報告するために、水溜りから出て、事務所へ向かった。無数の赤い点滅灯が、工事現場のそこかしこでかすんでいた。サーチライトに照らされた巨大な水溜りの中で、ぼくは作業をつづけた。泥と鉄錆《てつさび》の臭《にお》いが鼻をついた。ぼくは、泥のしぶきが入らないよう目を細め、コンクリート・パイルの真っ黒な穴を長いこと覗《のぞ》き込んでいた。臭いは、そこから湧《わ》きあがっていたのである。ぼくはゆっくり視線を移し、四灯のサーチライトを目が痛くなるまで見つめた。やがて、パイルに蓋をし、針金を釘に巻きつけた。まるで夜なべ仕事が終わりかけている人のように、幾分昂揚《こうよう》し、手際《てぎわ》よく、ブリキの蓋をかぶせていった。

泥まみれのどでかいバケツの底で、何時間も、穴を修理していたのだと言ったら、妻はどんなに歓《よろこ》ぶだろうとぼくは思った。

紫《むらさき》頭《ず》巾《きん》

ドブが薄く凍り、そこに映る月光の縁《ふち》が、油膜の虹色《にじいろ》と重なっている。園子の右手の指先は、氷を破ってドブにつかっているのだが、私たちは、それがときおり動くような気さえした。板塀《いたべい》の向こうで、四、五匹の野良犬《のらいぬ》が集まり、隙間《すきま》から鼻を突き出したり唸《うな》ったりし、風がやむたびに生臭い匂《にお》いを放った。

「ほんまに死んでるんか?」

口を半開きにして安《や》っちゃんは言い、うつぶせに倒れている園子の耳の近くで足踏みをつづけた。彼は、猿公《さるこう》が交番へ走って行ってから、ずっとそればかり言いつづけ、そのたびに私たちを上目使いで見やった。

「息、してへんがな。さっきからずっと。死んでるのにきまってるわ」

武本が、兄貴のお古らしいジャンパーの、長い袖《そで》で青洟《あおばな》をぬぐい、こわごわ園子の右側をやや横向けにしている顔をのぞきこんで、うわずった声でそう言った。

「これ、血ィやろ?」

私は、園子の鼻のあたりの、黒い付着物を指差した。

「血ィや、血ィや」

安っちゃんは、アスファルトの上の、ドブのほうに伸びているしみからあとずさりして、血ィや、血ィやと繰り返したが、あたりに街灯はなく、それが血なのか、誰《だれ》かの立ち小便の跡なのかは、判別出来なかった。こんなとき、はしっこくてもっとも頼りになる崔が、永遠に去って行ったという余韻による昂揚《こうよう》は、十二歳の私たちを、真夜中の路上に転がる死体から逃げださせなかった。崔一家、金一家、日本人の妻と別れた尹正哲がいなくなった渡辺アパートは、玄関の鍵《かぎ》がかけられ、どの窓にも明かりはなく、寒風の中で廃屋にしか見えなかった。私の両親も、武本の父も、安っちゃんの母と兄も、新潟《にいがた》港へ向かう崔、金、尹を見送るため、国鉄の尼崎《あまがさき》駅から大阪駅に行き、まだ帰ってこない。アパートの大家さんは、壁や窓ガラスに貼《は》られた〈つぶせ！　北の傀儡《かいらい》アパート〉とか〈あわれなり　売国・亡国の北朝鮮帰還組〉という手書きのビラをそのままにして、今朝から姿をくらましていた。

迷路状の路地を縫う強い風は、ときおり園子のスカートをめくったり、また元に戻《もど》したりした。

「遅いなァ……」

と武本は言い、ドブに沿って通りのほうへ五、六歩行きかけ、

「おい、帰ったらあかんぞ」

そう私に言われて、引き返して来た。

「猿公、交番へ行かんと、家に帰ってしまいよったんや」

安っちゃんが何回か声を震わせて言ったとき、自転車の音と、猿公のものらしいズック靴《ぐつ》の、走って来る音とが聞こえた。

それから十分ほどして、パトカーが三台、路地の入口をふさぐ格好で停《と》まり、警官が園子を中心にしてロープを張り始めた。私たちは風を避けて、尹正哲の持ち物だった鉄屑《てつくず》置き場の横につれて行かれると、二人の若い警官に懐中電灯で顔を照らされながら、刑事の問いに答えた。

「最初にみつけたんは誰や？」

「ぼくです」

と私は片手をこわごわ上げた。刑事は、私の名と年齢、それに住所と学校名を訊《き》いて、手帳に控えた。

「何時ごろや」

私は、二十分ほど前だと思うと言った。

「きみが見たときは、もうあそこに倒れとったんか」

私は、かぶりを振った。

「ここから出て来たんです」

鉄屑置き場と渡辺アパートとのあいだの、人ひとりがやっと通れる隙間《すきま》を指差し、園子はこの奥の長屋に住んでいる、そうつけくわえた。

「園子か……。公園の園《えん》やな」

「花園の園《その》です」

猿公が甲高い声で言い、言ったあと、私たちを不安そうに見やった。刑事に促され、警官のひとりが長屋へと走った。

「名字は？」

私たちは誰ひとり、園子の名字を知らなかった。私は自分が見た光景を、緊張しながらも、懸命に述べた。路地へ出て来た園子は、うっ、うっ、という声を洩《も》らし、通りのほうに向かったが、一度立ち停まって、引き返すかのように見えた。体の向きを変えようとしたとき、棒みたいに前に倒れた、と。

「ほかに誰もおらんかったか？　女のうしろとか横とかに」

「おらんかったと思います」

「思います？　それは、きみには見えんかっただけで、誰かがおったかも判《わか》らんちゅうことか？」

私は返答に窮し、検死官が園子をさまざまな角度から映すカメラのフラッシュを見つめて、うなだれた。

「あの人しか見えませんでした」

「何か音は聞こえへんかったか。たとえば、逃げて行くような足音とか、女が路地へ出てくるまでに、話し声を聞いたとか。こわがらんと、ゆっくり思い出してみィ」

私は、涙をこらえながら、聞こえなかったと答えた。

「きみら、もう夜の十二時を廻《まわ》ってるんやぞ。子供が四人もつれだって、何のためにこのへんをうろうろしとったんや。きみらの家は、この一角とは違うやろ」

刑事の言葉で、再び私たちは顔を見合わせた。私たちは、尹正哲の鉄屑置き場に、ひょっとしたらまだ金目のものが残っているかもしれないと考え、それを盗みに行く途中だったのである。もし、銅線でもあれば、別の鉄屋に持って行って、買ってもらおう。夕刻、四人でそう談合し、それぞれの父や母たちが出かけたあと、このあたりではただ一軒、テレビのある武本の家に集まった。武本の母は、子宮の手術をして、まだ入院中だった。猿公はテレビの前に坐《すわ》ったまま動こうとはせず、安っちゃんは安っちゃんで、

「きょうは無茶苦茶寒いでェ。腹も減ったし、みんなが帰ってくるまで、ここにおろうや」

と言いはって、やぐら炬燵《ごたつ》にもぐり込んだ。それで、やっと四人で、尹正哲のいなくなった鉄屑置き場に向かったのは、猿公と安っちゃんが目をしょぼつかせて欠伸《あくび》を始めた十二時前だったのである。

「誰もおれへんようになったから、探偵《たんてい》してみようと思てん」

と猿公が刑事に言った。猿公は嘘《うそ》が上手で、それでしばしば仲間外れになることがあったが、私たちは、そのとき彼の絶妙の嘘によって救われたのである。とにかく、安アパートと、

バラックまがいの長屋が密集する地区は、ひと月近く、異常な状況がつづいて、刑事もこの夜の静寂の理由を知っていた。

「あれは日本人か」

刑事は、園子のほうに顎《あご》をしゃくって訊いた。私たちは、知らないと答えた。実際、園子が日本人かどうかは、知らなかったのである。

園子の住む長屋へ走って行った警官が戻って来、

「五世帯ありますが、そのうちの二軒は留守で、あとの二軒は、子供だけが寝ています。電気のついたままのが一軒あって、鍵はかかってないのに誰もいないんです。右から二軒目です」

と報告した。安っちゃんは、

「それが、あの人の家や」

と突拍子もない大声で叫んだ。刑事は、舌打ちをし、警官に、

「検死の結果を待って、殺しやと判《か》っても、手遅れやぜ」

と耳打ちした。彼は、あらたに駈けつけた三人の刑事と何ごとか相談した。刑事たちの言葉は、断片的にしか私たちには聞こえなかったが、朝鮮総連とか、赤十字とか、新潟港という言葉がそれぞれの白い息に混じって、私の耳に届いた。

「厄介《やっかい》な置きみやげを残していきやがって」

その刑事の言い方は、まるで園子が、祖国へ帰るために今夜大阪駅から新潟へと向かった朝鮮人の誰かに殺されたと確信しているみたいだった。私はとっさに、仲良しだった崔勲の兄である崔圭一の、角張った顎と、短軀《たんく》だが逞《たくま》しい猪首《いくび》や肩幅を脳裏に描いた。

「外傷はないみたいです。額のすり傷は、倒れたときのもんですね。ただ鼻から嘔吐物《おうとぶつ》が流れ出ています」

検死官の意見を訊いていた刑事が、苛《いら》だたしげに時計を見た。私たちは、いっときも早く解放されたくて、刑事の顔を見あげた。近くの住人たちが集まって来た。その中から、私の父と武本の父とがあらわれた。私が泣きだすよりも先に、武本が、殆《ほとん》ど無人に近い長屋にまで響く泣き声をあげた。五世帯が住む長屋のうち、子供だけが寝ているのは、屋台のラーメン屋の二家族で、あとは園子の住まい、残りの二世帯は、同じ朝鮮人でありながら、北へ帰ることに決めた崔、金、尹たちといがみ合いつづけた呉一家、それに一人暮らしの李爺《じい》さんである。

私の両親が営むちっぽけなお好み焼き屋に場所を移して、刑事は私たちから調書を取った。帰りぎわ、刑事は、私の父に訊いた。

「大阪駅は、どんな具合でしたか」

「ごったがえしてましたなァ。北朝鮮へ帰る連中よりも、機動隊の数のほうが多いくらいで。右翼の宣伝カーは、駅前から動かへんし、まともな見送りなんかでけしまへん。ただの見送りの私らにまで、韓国系《かんこく》の連中は、『裏切り者』とか、『共産主義の亡者《もうじゃ》』とか怒鳴りまわしよる。祖国へ帰りたい気持は、どこの国の人間やろうが、当たり前のことやと思いますけどなァ……」

刑事は、くわえ煙草《たばこ》のまま、何度も頷《うなず》き、

「新潟は、もっと大変でっせ。厳戒態勢や」

と言って出て行った。あと十日ほどでクリスマスだった。世間は岩戸景気とうかれてはいたが、サンタクロースは猿公と安っちゃんの枕辺《まくらべ》には訪れないのである。猿公こと猿渡佑士に両親はなく、十八歳の姉が二十一歳と偽《いつ》わって、阪神電車の尼崎駅近くのキャバレーで働いていた。安っちゃんの父は二年前に姿をくらまし、母親と、中学を出たばかりの兄が、近くの工務店に日雇いの形で雇われ、何とか生計をたてているのだった。

ブローカーと称しているが、いったい何のブローカーなのかはっきりせず、ただ最近、いやに景気が良くなった証拠に、テレビを購入し、外国製の時計を自分だけでなく妻にも買った武本の父が、突然、息子の頭を平手で殴った。

「こんな夜遅うに、何さらしとったんや。刑事に怪しまれたって言い訳のしようがないやないけ」

それまで無言で、飾ってあるまねき猫の横に坐《すわ》っていた安っちゃんの母と兄が、ともにあかぎれだらけの手を伸ばし、安っちゃんの腕をつかんで帰って行った。安っちゃんの母は、

崔圭一に金を借りていて、結局返すことが出来ず、その罪ほろぼしに、大阪駅に見送りに行ったのである。私の母が、

「もう一時半やがな。あした起きられへんで」

と言い、湯呑《ゆの》み茶碗《ちゃわん》を片づけはじめた。武本親子も帰って、猿公だけが残った。クラスで一番体が小さく、身体検査の際、いつも〈栄養要注意〉のスタンプを捺《お》される猿公の、ちぢこまって椅子《いす》に腰かけ、床ばかり見つめるさまは、帰れと言われるのを恐れているかに思えた。

「猿ちゃんも、もう帰り。お姉ちゃんが帰って来たら、心配しはるで」

と私の母に促され、猿公は、爪《つめ》を嚙《か》みながら、

「姉ちゃん、きょうは帰ってけえへんねん」

そうつぶやいた。私は両親の顔色を窺《うかが》い、

「崔は嬉《うれ》しそうにしとった？」

と訊いた。本当は、猿公を今夜我が家に泊めてもいいかと頼みたかったのだが、すぐには言い出しかねたのである。

「私らが、なんぼ手ェ振っても、ひとつも笑えへんかった。あの、いっつもにぎやかな子ォがな。嬉しそうにしとったのは、お兄さんだけや」

と母は言い、口をへの字にして猿公を見やった。父は煙草に火をつけ、夕刊に目を通して、

「新潟は、どえらい騒ぎやなァ。北朝鮮帰還を記念して、朝鮮総連が植樹した柳の木ィが、右翼に引き抜かれたそうや。出航をひかえて、機動隊の数を急遽《きゅうきょ》、千五百人に増やしたって書いてある」

と言って、金さんに貰《もら》った密造のドブロクを洗い場の上の天袋から出し、それをコップに注《つ》いだ。私には、右翼という言葉の意味も判らなかったし、北と南の区別もつかなかった。尹正哲が、なぜ日本人の妻と別れたのかに至っては、ただ、どうしてなのかなと思うばかりである。

「プロレタリアート、か……。なつかしい言葉やなァ。戦争前を思いだすがな」

そうつぶやき、新聞を四つにたたんで、お好み焼きの台に放《ほう》り投げ、父は、ドブロクを飲んだ。母も疲れたらしく、父と向かい合って坐り、

「朝鮮人なんか見るのもいややと言うてた武本はんが、なんでまた親切に、私らと見送りに行ったりしたんやろ」

と訊いた。父は、何か言いかけ、ちらっと私と猿公に視線を投げると、

「猿ちゃん、泊まって行き。いつまでも話なんかしとらんと、さっさと寝るんやで」

母は仕方がないといった顔つきをして、ヘアピンで頭を掻《か》き、

「早よう手ェ洗《あろ》て。余分な蒲団《ふとん》はあらへんのやから、背中合わせで風邪ひかんようにして寝なはれ」

と言った。猿公は、にっと笑い、私と一緒に台所で手を洗い、店とは薄い板一枚で仕切られた三畳の間に行った。ひとつの蒲団にもぐりこみ、互いの体温で暖をとった。

「武本はなァ、崔の圭一に、しっぽを握られとったんや」

私たちに聞かせたくなかったのであろうが、頭を板のほうにして蒲団に入った私と猿公の耳には、両親の会話のすべてがよく聞こえた。私は目を閉じた。しかし、ドブにつかっていた園子の指先が、寒夜の幽暗に大きく動き、驚いて目をあけた。

「あの園子と、でけとったんや」

「えっ。武本はんが？　ほんまかいな、それ」

「そもそものなれそめは、圭一が仕組みよった。つまり、武本は、絵に描《か》いたようなつつもたせに引っかかりよったんやな」

「あんた、それ、誰《だれ》から聞いたん」

「金のおばばからや。崔の圭一は、園子と手を切るために、北へ帰りたいんや、そうに決まってるっちゅうてな。おばばは、日本語がまともに喋《しゃべ》られへんけど、目ェ吊《つ》りあげて、園子のことを、蛭《ひる》や、蛭や、て言うとった」

「ほんなら、やっぱり園子は」

その母の言葉を制するみたいに、

「それは警察が調べるやろけど、あとのまつりやろ。心配で寝られへんのは、武本や。自分と園子とのことを警察に知られたら、女房《にょうぼう》の焼き餅《もち》どころの騒ぎやあらへん。自分が疑われるんやから」

と父は言い、ふいに声を落とした。私は、少し首だけ動かし、枕でふさがれているほうの耳も使って、父の言葉に聞き入った。

「そやけど、どう考えてもおかしいな。圭一の乗った新潟行きの列車は九時前に出たんや。崔の一家が、赤十字の用意したバスで帰還者用の集合場所に行ったのは夕方や。園子は、子供らの話では、十二時ごろ長屋から出て来て、路地で倒れたんや。武本も、わしらと一緒に大阪駅に行き、一緒に帰って来た。殺す時間なんて、あらへん。とくに圭一は、両方のお国がお膳立《ぜんだ》てして、蛭みたいにへばりついてくる女の手の届かんところへ行ってしまうんやから」

「私、あの園子っちゅう女、なんやしらん気持悪かったわ。若いし、器量もええのに、愛想笑いのひとつもせえへんし、陰気やし、どんな仕事をしてるのかも判らへんし」

父が、一升壜《びん》からドブロクをつぐ音が聞こえ、

「ドブの横で死んでるのが園子やと判ったとき、武本のおっさん、立ってられへんくらい膝《ひざ》をがくがくさせよった。お前が出したお茶を飲めへんかったんは、茶碗を持ったら震えてるのが刑事にばれるさかいや。見てておかしかったで」

という言葉で、話は一区切りついたようだった。隣の部屋に母が入って来て、蒲団を敷い

た。すると、猿公が寝返りをうち、私の背に、胸と腹をくっつける格好で囁《ささや》いた。

「園子はなァ、紫頭巾《むらさきずきん》やったんや」

私は、一瞬、なんだか恐しい呪《のろ》いの言葉を吹き込まれたような心持ちになり、体を固くさせて、襖《ふすま》の隙間《すきま》で動く母の影を見ていた。

「ほんまやで。紫頭巾をかぶって、大阪駅の裏で占いをやっとったんや。ごっつうよう当たる占い師やってんで。大阪駅の裏の紫頭巾いうたら、みんな知ってるくらい有名やねん。人が死ぬ日まで当てるんや。サイコロを使って占うんやで」

猿公は、学校の休み時間に、「怪人キリマンジャロ」とか「魔法使い・蜘蛛女《くもおんな》」とかのでたらめの題をつけ、即興で物語を創《つく》って聞かせるのが得意だった。表情豊かに、ときに目を恐しげにすぼめたり、歯をむきだしたり、素早く指で上の目蓋《まぶた》を裏返したりする。そうやって幾つかの登場人物に化け、声音《こわね》も変え、次から次へと奇想天外な場面を創るのである。猿公の物語を聞きたい者たちは、彼を幾重にも取り囲み、教室の隅《すみ》から廊下へ、廊下から階段へと移動する。話の面白《おもしろ》さもさることながら、みんなは、どの課目も四十点以上取ったことのない猿公が、よくもこれだけ筋道立てて、それもその場その場で、物語を思いつくものだと感心するのだった。いつも猿公をいじめる連中も、そのときばかりは、猿公の話に聞き惚《ほ》れるのだった。四年生の二学期から始まった「怪人キリマンジャロ」は、まだ結末に至らず、財宝を追うキリマンジャロと、名探偵・トンカツ博士との死闘はつづいている。いつまでたっても終わらないので、いつしかみんなは飽きてしまい、五年生の終わりごろから猿公の周りに集まる数が減った。すると、猿公は、出し物を変え「魔法使い・蜘蛛女」を語り始めたのだが、話の展開に窮すると、「怪人キリマンジャロ」に使った悪党どもを登場させたりするので不評を買い、いまはいったん中断ということになっていた。

「紫頭巾?」

私は、寝返りをうち、猿公と鼻がくっつくほどの間隔のまま、暗がりの中で猿公の目を覗《のぞ》いた。腹の鳴る音がした。自分のものなのか猿公のものなのか判らなかった。

「ほんまやでェ。俺《おれ》、大阪駅の裏で、紫の頭巾をかぶって占いをやってる園子を見たんや。姉ちゃんが映画につれて行ってくれた日ィや」

襖があき、こらっ、話なんかしとらんと早よう寝んかいと父が叱《しか》ったので、私と猿公は慌《あわ》てて体の向きを変え、背中合わせになった。私が頭を蒲団の中に入れると、猿公もそうした。

「嘘つき。また紫頭巾いう話を思いついたんやろ」

私は尻《しり》で、猿公の尻を押した。

「嘘と違う。ほんまに園子は紫頭巾やねん」

私は、だんだんおかしくなって、声を殺して笑った。笑いは、私の体を伝って猿公の背や尻を小刻みに打った。そのうち、猿公も笑いだし、蒲団にすっぽりもぐりこんだまま、互いの手の甲をつねり始めた。息苦しくなって顔をだすと、こんどは寝巻に着換えた母が、こらっと怒鳴った。

あくる日、学校から帰ると、路地のあちこちにパトカーが停《と》まっていた。父は、やはり園子は誰かに殺されたらしいと言った。解剖の結果、園子の脳に内出血があり、後頭部には、拳《こぶし》で殴られたと思われる跡が認められたとのことだった。呉一家は、二日前の夜中に、争そう声を聞いたと言い、それ以来、園子が長屋から出入りする姿を見なかったと証言した。園子の住んでいた四畳半は隈《くま》なく調べられ、さらに詳しい解剖結果から、殴打による脳内出血は、すぐさま死に至るものではなく、徐々に進行し、その間《かん》、園子は頭痛や吐き気をこらえて部屋にこもっていたが、十二月十三日の十二時近く、ついに耐えられなくなって表に出、路地で倒れたものと断定された。

警察の聞き込み捜査がつづけられている夕刻、父は配達されてきた夕刊を、声を出して読んだ。

「日本よ、さようなら。北朝鮮帰還第一船、新潟港から出航。厳戒態勢の中、午後二時、クリリオン号とトボリスク号に乗った九百七十五人は岸壁を離れた」

父は、そこまで読むと、溜息《ためいき》をついて立ちあがり、大きく伸びをして、キャベツをきざんでいる母に、

「李の爺さんが、武本と園子とのことを警察に喋りよった。爺さんは仕事にも行かんと、崔圭一が殺したんやって、あっちこっちでまくしたてとったで」

とつぶやいた。

「李の爺さんと崔の親父《おやじ》は、半年前まで、兄弟みたいな仲やったのになァ」

私は新聞の写真を食い入るように見つめた。船のデッキで、花束を持ち、チョゴリを着て手を振っている若い女がいる。よるべない顔で紙テープをつかみ、父親らしい男に寄りかかっている少年がいる。学生服を着た高校生がいる。崔勲も、圭一も、尹正哲も、これらの人の中にいるのであろう。私は、尹正哲の自転車のうしろに乗って、夏の暑い盛りの日、淀《よど》川《がわ》まで魚釣《つ》りに行ったことを思い浮かべた。崔勲の投げるボールの、胸元で伸びる威力を思った。崔勲は、勉強などまるでやっていない様子なのに、いつもクラスで三番以下にさがったことはなかった。

「尹は、恋女房と別れとうなかったやろなァ」

「なんで一緒につれて行けへんかったんやろ」

母の問いに、父は答えなかった。店を閉めかけている私の家に夜遅く訪ねて来、長いこと泣きつづけた尹の妻の小造りな顔が脳裏に浮かび、私は通りのドブを見やった。風が強まり、道に砂埃《すなぼこり》の小さな竜巻《たつまき》を作って、それは板塀《いたべい》の横の路地へと走った。

刑事は、それ以後も四、五回、私の家にやって来た。武本の父は十日間警察から帰ってこなかったが、疑いが晴れると、三日もたたないうちに引っ越して行った。

園子が高知県の出身で、相当な蓄えがあったらしいと報道されはしたが、紫の頭巾をかぶって占い師をしていたという話は、界隈《かいわい》の誰の口にものぼらなかったし、新聞にも載らなかったので、私は猿公を、ことあるごとに、

「嘘つき」

とひやかした。そのたびに、猿公は口を尖《とが》らせて何か言おうとしたが、私に、笑いながら頭をこづかれると、自分もくっくっと笑い返し、

「お好み焼き、食べたいなァ。お好み焼き、食べたいなァ」

そう言って、私の顔色を窺《うかが》うのである。

半年近くたった日曜日の昼に、猿公が、姉の芳子と一緒に、私の家を訪れた。日曜日は店は休みなので、多少不審な顔つきで父が戸をあけると、化粧気のない芳子の隣に立つ猿公が、私を見て顔を赤くさせた。芳子は、ときおり周りを気にしながら、お世話になったお礼の挨《あい》拶《さつ》に来たのだと言った。私たちは、そのとき初めて、芳子と猿公が朝鮮人であることを知ったのだった。

店の中に入るよう勧められ、芳子は猿公と並んで椅子に坐《すわ》ると、その顔に比して大きすぎるほどの目で、昼でも薄暗い店内を見廻《みまわ》した。母が蛍光灯《けいこうとう》のスウィッチを入れ、やはりいぶかしげに、

「どこへ引っ越しはるのん？」

と訊《き》いた。芳子は、出発の日まで誰にも言わないでほしいと頼み、

「北朝鮮です」

そうぽつんと言った。猿公は、いつになく腫《は》れぼったい目をきつくさせて、まねき猫《ねこ》ばかり睨《にら》んでいた。

「そんな気はなかったんですけど、自分の国に帰るほうがええんやないかって思い始めて。それに、この時期を外したら、もう永久に帰られへんようになりますから」

話をしているうちに、芳子には結婚を決めた男がいることが判《わか》ってきた。祖国への帰還は、その男の意志が大半を占めていたのである。男の名も、年齢も、どこに住んでいるのかも、芳子は言わなかった。

「それで、いつ発《た》つんや？」

父が訊いた。

「船は、あさってです。そやけど私らは、きょうの夜にアパートを出て、赤十字の用意した会館に泊まります」

そして、芳子は列車の出発時刻を言ってから、船が出るまで、誰にも内緒にしておいてくれと念を押した。父は、心得ていると答え、猿公に、

「お好み焼き、焼いたろか。もう、いやっちゅうほど食べて行き」

と言った。猿公は何の反応も示さず、まねき猫を睨みつづけるばかりだった。

その日、私は、家から五百メートルばかり離れたところにある卓球場の前に行き、ガラス

窓越しに、ピンポン球の飛び交うさまを見つめた。卓球場の二階はアパートになっていて、その一室に芳子と猿公が住んでいたのである。私は、家と卓球場とを何度も往復した。五度目に、卓球場の中を覗くと、芳子が、背の高い男と卓球に興じていた。その男を何度か見たことがあった。日曜日の昼下りの公園とか、駅前の広場とかで、二人が腕を組んで歩いているのを目にしていたのである。私は、ガラス窓に額を押しつけ、猿公を捜したが見あたらなかった。卓球場の横の階段を昇って、猿公の住む部屋に行こうと何度思ったかしれない。けれども、私がそうしなかったのは、日本人だとばかり思っていた芳子の、それもあさって日本を去るという芳子の、奇異なはしゃぎ方に心を奪われたからだった。とにかく下手くそで、ゆるい球にラケットが当たらない。空振りすると、体をくの字にして笑い、やっと当たった球が隣の卓球台に飛んで行くと、ぴょんぴょん跳びはね、すみませーんと言って笑った。私は、芳子と男が、受付にラケットを返し、料金を払うのを見てから、家に帰った。

翌日、私は母と一緒に大阪駅に行った。右翼の宣伝カーも、北朝鮮へ帰る者たちを罵倒《ばとう》する人間もいなかったが、警官の数は確かに多く、あきらかに刑事だと判る男たちが、構内にも改札口にも、プラットホームにも見受けられた。新潟行きの列車の二輛《りょう》が、帰還者のための貸し切りになっていて、駅のどこかの待合室で待機していた一団が列車に乗ってしまうまで、他《ほか》の乗客も見送りの人々も、警官の指示する場所から動けなかった。私は母の肩をつかみ、何度も伸びあがって猿公を捜した。他の乗客が乗り込み、それからやっと、見送りの人人は貸し切り車輛の前に誘導された。窓越しに抱き合って泣いている人々のあいだを縫い、私は列車の窓を覗いて進んだ。母が私を呼び、手を振った。芳子と猿公は、プラットホームとは反対側の席に坐っていたので、私は気づかずに通り過ぎたのである。若い娘の殆《ほと》んどがチヨゴリを身につけているのに、芳子は白い半袖《はんそで》のワンピースを着ていた。芳子の結婚の相手は、卓球場にいた男ではなかった。理知的な目がよく動く、気弱そうな青年だった。ふいに猿公の姿が消えた。彼は、列車の乗降口から顔を出し、私を呼んだ。私は何人かの警官の体にぶつかりながら、猿公のところに行き、

「怪人キリマンジャロの」

と言いかけたが、猿公が手すりをつかんで身を乗りだしたので、口を閉じて自分の耳を向けた。

「俺、嘘《うそ》つきとちゃうでェ。紫頭巾はほんまやでェ。みんなに嘘つき、嘘つき言われるのは、かなわんわ」

と猿公は言った。

「ほんまに、園子は紫頭巾やねん。俺が紫頭巾を埋めたんや」

「埋めた？」

「うん。学校の裏門の、でっかいゴミ箱の横や。花壇があるやろ？　それとのあいだぐらいのとこや」

私が言い返す前に、猿公は自分の席に駈《か》け戻《もど》り、発車するまで顔を反対側のホームに向けつづけた。列車が動いた瞬間、猿公は立ちあがり、にこりともせず兵隊を真似《まね》て私に敬礼をした。

意を決して、私が猿公の言った場所に近づいたのは、彼等《かれら》の乗った船が出航した翌々日の放課後だった。花壇とゴミ箱とのあいだは、四十センチほどの幅しかなかった。前日の雨で、土は柔かくなっていた。私は周りに視線を配り、校舎を見あげ、三角定規で土を掘った。誰《だれ》かが通りかかると、ランドセルで穴を隠した。泥《どろ》にまみれて変色した布が見えた。一部分を指でつまみ、引っ張ると、意外に簡単に布は土の中から抜け出て来た。それはまだ紫色の部分を多く残していて、何かを包んであった。私は心臓をどきどきさせて、結び目をほどいた。小さな陶製の碗《わん》とサイコロが五つ、空《から》っぽの財布が三つ、紫の長い布の中からあらわれた。私は手を震わせ、慌ててそれらを埋め直し、埋めたあとの土をズック靴《ぐつ》で固く踏んだ。誰かに見られている思いに駆られ、ランドセルと三角定規を左右の手に持って、裏門から出た。空を見ると、また雨が降りそうだったので、様子を窺いながら引き返し、さらに強く土を踏み固めた。

昆明《こんめい》・円通寺街

黄昏《たそがれ》は早くて、まだ四時前だというのに、街は青味がかってきた。十一月の中国は、さぞかし寒いだろうと思っていたが、雲南省昆明は、ベトナムとの国境まで南へ二百キロ、ビルマとの国境まで西へ四百キロほどにあって、手に持つ防寒コートが重くてたまらなかった。

ホテルの窓からは、別棟《べつむね》の食堂脇《わき》にある黒土の広場の一角が見えた。周りが板塀《いたべい》で囲まれている広場の中には、煉瓦《れんが》造りの煙突と低いトタン屋根と茶色い水溜《みずたま》りがあった。トタン屋根がどうやら鶏舎らしいと判《わか》ってきて、私は〈前略〉とだけ書いてそれきりあとがつづかない手紙から離れ、窓辺に立った。そうすると、それまで板塀で見えなかった男の上半身があらわれた。男は、長い前掛けをして鶏をしめている。

片方の手で鶏の足と羽根をつかみ、片方の手で首を折り、それから頸動脈《けいどうみゃく》を包丁で切った。手ぎわが良いので、最初は何をしているのか判らなかったのである。鶏に何か印をつけて広場に放しているみたいに見えたのだが、十何羽の鶏は水溜りの周りで転がり、立ちあがろうとして羽ばたき、さらに羽ばたいてよろめき、動かなくなっていく。

ホテルの敷地は広く、私の部屋からは、円通寺の屋根も、円通寺街のにぎわいも見えなかった。昆明の中心地から北へ伸びる円通寺街は、なだらかな曲線を描いてホテルの前へとつづき、禅宗の古刹《こさつ》として知られる円通寺の手前で道幅は急に狭くなっていた。かつては、門前町として活況を呈していたのであろう。そしてその活気は、ここ二、三年の中国の経済政策の変化によって再び甦《よみがえ》ったに違いなかった。円通寺の門前に至る道の両側には、幾つかの露店が商いを張っている。野菜、果物、駄菓子《だがし》、水仙《すいせん》の球根、履き物、うずら、古道具、太刀魚に似た魚、肥えた鶏、日用雑貨、盆栽……。ないのは、生肉類を売る店だけである。生肉だけは、衛生面の問題から、特別な許可を受けた店でしか販売されないのである。

私は随分長いこと、男が鶏をしめるのを眺《なが》めつづけたが、小さな木の机に戻《もど》り、ペンを持つと、

〈一度もお見舞いに行かないまま、中国への旅に出ました。いま、雲南省の昆明に着いたばかりです。ご容態のこと、奥さまから電話で聞きました。ちょうど、中国へ発《た》つ五日前で、それまでに片づけなければならない仕事があったので、「いっぺん病院へ行って、一発活《かつ》を入れたらなあかんなァ」と思いつつ、飛行機に乗ってしまいました。〉

とにかくそう一気に書いて、またそこから先へ進めなくなってしまった。自分の手紙が着くまでに、石野秀次は死んでしまうかもしれない。そんな思いが強かったのである。ひょっとしたら、石野は、もう死んだのではないか。そのような予感も、北京から昆明への機中で黄河を眼下にした際、ふいに閃《ひらめ》いたりしていた。私が見た黄河は、山というよりも巨大な岩の峰の連なりを縫って灰色に光っていた。どんなに目を凝らしても、そのほとりにただの一

軒も人家をみつけることは出来なかったのである。

鶏をしめている男めがけて、幼児が走って来た。飯の入っているらしい碗《わん》に箸《はし》を突き刺して、それを両手でかかえている。私のいる部屋からは、幼児が男なのか女なのか判別出来なかった。男は鶏の首を切る包丁をかかげ、幼児に、来るなと制しているみたいだった。煉瓦の煙突から煙が昇り始め、街の青味が濃くなった。

ドアがノックされ、通訳のYさんが、ドア越しに、

「そろそろ円通寺の見物に行く時間ですが」

と言った。私は肩に掛ける小さな鞄《かばん》に書きかけの便箋《びんせん》を入れ、廊下に出た。友人たちは、すでに円通寺見物の準備をととのえて、階段のところで私を待っていてくれた。

「行きは車で、帰りは歩くってことになりました」

とYさんは言った。広いホテルの敷地を出て、車は円通寺街に入り、右に曲がった。〈流星飯店〉という名の木賃宿があった。円通寺街は、そこから道幅が狭くなり、車一台が進むためには、自転車に乗った人々を両脇に寄せなければならない。リヤカーや馬車は、どんなに脇に寄っても、車の通る空間を作りだせないので、私たちは、人間の歩く速度で進んだ。その狭い通りには、さまざまな店があった。駄菓子屋には、飴《あめ》の入った広口の四角い甖《びん》が並び、学校帰りの小学生たちが、入口の敷居に腰かけて、車の中の私たちを覗《のぞ》き込んだ。こんな狭い通りを、クラクションを鳴らして車で進むことは、とても横暴で理不尽な行為に違い

ない。そう思って、私は円通寺街の人々と目を合わさないようにしていた。

円通寺の門前には車が駐車出来る広場があり、寺の朱色の柱は黄昏になじんで、そこだけ時間がずれているような気配である。私は、なんとなく寺の見物が億劫《おっくう》になり、円通寺街に小さな茶館があれば、そこでお茶でも飲んでいたいなと思った。どんな言葉でもいい、自分なりの別れの心を、石野への手紙の底に刻みたい、と。石野がもうすでに死んでいたとしても、それはそれでいいではないか……。

私は、小学生のとき、この狭い円通寺街とよく似た場所で、泥《どろ》まみれになって石野と遊んだ。尼崎市の駅裏の、夜になると十何人もの娼婦《しょうふ》が並ぶ細い通りには、昼間、どこからともなくやってくる人間が露店を出し、たった三足の革靴《かわぐつ》を台に乗せて黙念と坐《ざ》し、バナナを売る男が唾《つばき》を飛ばし、口の利《き》けない女が肌着《はだぎ》を商い、私たちとそれほど歳《とし》の違わない兄弟が夕コ焼きを焼いていた。わずか二坪のホルモン焼き屋では、ならず者のいさかいが絶えず、堕胎が本業の産婦人科医院は、いつもガラス戸が閉じられ、女たちは裏口から出入りしていた。石野の父が営む印刷屋は、通りの端にあって、機械が動いている日は滅多になかった。鼻が大きく、目尻《めじり》の垂れた石野秀次は、吃音《きつおん》ではなかったが、濁音を口にするとき、必ず言葉が止まった。とりわけ〈がぎぐげご〉と〈だぢづでど〉が言えないので、教師はわざと石野を立たせて、

「学校を無断で休むような人間は駄目なやつだ」

という言葉を何度も何度も言わせた。赤ら顔の石野は、紅潮し、額に汗を浮かべ、教師の命じる言葉を反復する。けれども、最初の〈が〉が出るまで五分も六分もかかる。最後の〈だ〉を言い終わるとき、石野の精神は方向を喪《うしな》い、顔は汗と涙だらけになり、体は机と一緒に揺れている。誰《だれ》か級友の嘲笑《ちょうしょう》をみつけると、石野は、下敷きを投げ、鉛筆を投げて、そいつにつかみかかり、結局、同じ言葉をもう二回も三回も言わされるはめになるのだった。その教師の愛情のない特訓は、石野の言語障害をいっそう重くさせた。私と石野は、ランドセルを片方の肩に掛け、尼崎《あまがさき》の駅裏に帰って来ると、〈おかめ通り〉と呼ばれる細い通りの手前で、

「学校を無断で休むような人間は駄目なやつだ」

と即興の節をつけて歌う。誰が、いかなる理由でそこを〈おかめ通り〉と名づけたのか、知る者はいなかった。けれども、〈おかめ通り〉の手前まで帰り着くと、石野は、濁音の部分で多少口ごもりはするものの、聞いていてもほとんど気にならないくらい、滑らかに喋《しゃべ》れるのである。

「そや、そや。そないやって、歌いながら言うたらええんや」

と私は言った。

「そやけど、歌いながら言うたら、あの先公、怒りよるわ」

石野は〈おかめ通り〉の入口にずっと以前から放置されている割れた狸《たぬき》の大きな置き物に

またがり、近所の遊び仲間が集まってくるのを待った。

〈おかめ通り〉とその周辺は、戦後のどさくさに生じた蟻《あり》の巣であった。ひとつの路地は、他《ほか》の場所に出なかった。必ず〈おかめ通り〉に戻るのである。その路地には、バラックの民家が密集して、一九六〇年に入っても、家々にガスはなく、煉炭で飯を炊《た》き、魚を焼き、暖をとっていた。

私と石野は、中学も高校も同じ学校に進んだ。やがて駅周辺の開発工事で〈おかめ通り〉も路地も姿を消し、私は大阪へ引っ越したが、石野印刷は、元の場所で商売をつづけ、高校を中退した石野が父を手伝って、従業員も五人に増えた。私が大学を卒業するころ、石野は結婚し、たちまち三人の娘の父となり、いささか酒を飲みすぎるが、女房《にょうぼう》の尻《しり》に敷かれた働き者の亭主《ていしゅ》としてなごやかな家庭を築いたのである。その石野が、重症の糖尿病で入院したのは一年前で、糖尿病よりもっと深刻な病がみつかったのは、それから三ヵ月後だった。骨髄性白血病であった。体重の減少も、眩暈《めまい》も、烈《はげ》しい倦怠感《けんたいかん》も、みな糖尿病のしわざだと本人には言ってあるが、よくもって、あと二、三週間であろうと医者に言われた。そんな石野の妻の、電話での声は抑揚がなかった。石野の妻は、ベッドから起きられなくなった夫の、私への伝言を口にした。

「中国へ行くんやったら、糖尿病によう効く漢方薬を、ぎょうさん買《こ》うて来てくれ」

私が、寺の見物はやめて、円通寺街をひとりで歩きたいと言うと、友人たちは了承してくれた。ひとりになって、門前で手製の菓子を売っている女の近くに行きかけると、Yさんがうしろに立っていた。

「中国人の通訳もいますから」

そうYさんは言い、

「私も、お寺の見物は苦手です」

と微笑《ほほえ》んだ。

「ぶらぶらしますか」

私は言った。ホテルと逆の方向に、私とYさんは並んで歩き始めた。道幅は五メートルほどしかなく、粗いアスファルトのあちこちは凹《くぼ》んでいる。リヤカーに石炭を積んだ若者が、人々に声をかけながら通りすぎた。

「車が来たよ、車が来たよって言ってるんです」

とYさんは訳してくれた。昆明を訪れるのは二回目だというYさんは、中国には何百万人もの少数民族がいるが、その七割は、雲南省に住んでいると説明してくれた。円通寺街に軒を並べる建物はみな小さくて平屋が多かった。コンクリートの建物もあるが、薄い青や黄のペンキを塗り、間口も窮屈で、入口には煉炭の火をおこすため、七輪に息を吹きかけたり、うちわであおいでいる老婆《ろうば》の姿があった。鰻《うなぎ》売りの女が、私を見て声をかけ、太い鰻を慣れた手つきでさばき始めた。

にわかに、人通りが多くなった。仕事を終えた人々が、自転車で家路をたどり始めたのである。荷車に家族を乗せ、それを馬に曳《ひ》かせている農民もいる。煉瓦塀のところに人だかりが出来ていた。長いきせるをくわえた老人が、煉瓦塀を見つめて、何やらつぶやいた。塀には、赤と青と白のチョークで、ぎっしり字が書かれてある。見出しは、Yさんに訳してもらわなくても、およその意味が理解出来た。〈一青年医師の堕落の経緯〉。どうやら、その青年医師は、円通寺街で開業していたらしい。

「若い女の患者に悪いことをしてたみたいですね」

と本文に目をやってYさんは言った。

「そのうち、女の体だけでなく、不当に高い診察代を取って、金を儲《もう》けることを覚えた。金が儲かると、ますます女を求めるようになり、やがてこの悪循環が、将来を嘱望されていた青年医師を、金と色とに狂う悪鬼へと堕落させた……。医師の毒牙《どくが》にかかった女性の証言も書いてありますよ」

それからYさんは、ひとりの中国人に、青年医師はこの近くに住んでいたのかと訊《き》いた。何人もの中国人はいっせいに頷《うなず》き、煉瓦塀の向こうを指差して何か言った。

「この裏に、彼の医院があったそうです」

煉炭の煙が目に沁《し》み、私とYさんは再び歩きだした。どこにも茶館はなかった。お茶だけを飲ませる店は、ここ数年で随分減ったとYさんは言った。

「この通りを抜けると、広い道に出て、バスの停留所があるんです。そこを左に行くと、動物園がありますよ」

私より八歳年長で、ことし四十七歳になるYさんは、四川《しせん》大学を卒業している。彼の年まわりから考えれば、その当時、日本人が中国の四川大学に留学することは至難であったに違いない。中国と日本とは、まだ国交を回復していなかったのだから。

「外務省に何度足を運んだかしれません。そのうち、刑事が私の家を見張ったりしましたよ」

Yさんはそう言って、薄く笑った。人通りが少なければ、円通寺の門前からバス停のある広い道へは、ゆっくり歩いて十分もかからないであろう。けれども、夕暮の円通寺街は、路地から走り出てくる子供たちやリヤカーや馬車や、自転車で帰宅を急ぐ人々でごったがえし、そのうえ煉炭の入った七輪に注意しなければならないので、しょっちゅう立ち停まって前に進めないのだった。

粉石鹼《こなせっけん》だけ売る店があった。店には、ビニール袋に入った粉石鹼とは別に、ドラム缶《かん》が一個置いてある。そこには、計りで売る粉石鹼が入っていた。Yさんは時計を見て、

「そろそろ引き返しましょうか」

と言った。しかし、私はどこかの店に入って、石野への手紙を書きたかったので、

「お茶だけ飲ませてくれる店を捜してみますよ」

と答えた。

「頼んだら、お茶だけでもいいっていう店もあるでしょう」

そう言って人混《ひとご》みを引き返して行った。光明飯店という食堂を覗《のぞ》いた。川魚の切り身、鶏の肉、砂肝《すなぎも》の薄切りが、ホウロウの器に並べられている。背凭《せもた》れのない木の椅子《いす》と低いテーブルが二つあるだけの食堂だった。勤め帰りの客が三人、煮たっている鍋《なべ》の前で茶を飲んでいた。壁には、おととしのカレンダーが貼《は》ったままである。若い女主人が、笑顔で何か言い、ホウロウの器を持った。私は手を左右に振り、手帳に〈茶〉と書いた。お茶だけ飲みたいのだということを判《わか》らせるのに五分ほどかかった。女主人は困ったような顔で、三人の客と言葉を交わし、まあ、とにかくお坐《すわ》りなさいな、といった表情で促した。人民服を着、人民帽をかぶった客たちは、店の奥に坐った私を見て、女主人に何か言った。それから身をのけぞらせて笑った。

私は、鞄《かばん》から書きかけの便箋《びんせん》とペンを出した。お茶が私の前に置かれたので、私は何枚かの紙幣を出した。女主人は二分紙幣を一枚つまんで、悪意のない笑い声を響かせた。おそらく、お茶だけという客はいないのであろう。何か食べる物を註文《ちゆうもん》すれば、お茶は無料で何杯でも飲める。一角の肉饅頭《にくまんじゆう》を頼めばよかったのである。

「お茶だけなんて、あたしゃ、お金を貰《もら》えないよ」

「いいじゃないか。二分ほど貰っときな」

女主人と客との会話を、私は勝手に想像した。私は熱い茶を一口すすり、手紙のつづきを書いた。

〈おかめ通りを覚えていますか。ぼくはいま、円通寺の門前にある狭い商店街を歩き、一軒の食堂に入ってお茶を飲んでいます。円通寺街というのが、この通りの名ですが、ぼくは、まるで三十年前のおかめ通りに帰って来たように感じました。バナナ売りもいれば、仕立屋もある。石炭を積んだリヤカーを引く元気一杯な若者もいれば、人生を捨てたような顔をして道に目を落としている魚売りもいます。そして、煉炭が七輪の中でおこっています。夜、娼婦は立たないでしょうが、それ以外は、なにもかもがおかめ通りなのです。あそこに、ガリ勉のツトムがいる。あそこに泣き虫の好子がいる。クリーニング屋の孝ちゃんが、親父《おやじ》に頭を張られながら、しぶしぶ仕事の手伝いをしている。ぼくは本当にそう思いながら円通寺街を歩きました。〉

何羽かのうずらが入っている金網を持って、男が円通寺街に立ち停まり、光明飯店の女主人に声をかけた。

「売れ残ったので安くしておくが買わないか」

表情や身振りで、男の言葉を私はそう解釈した。あらためて、薄暗い店内を見廻《みまわ》した。同じ文章の、何枚かの貼り紙があった。それは北京の街でも、昆明の飛行場でも目にした文章で、日本人なら大抵の人が理解出来る標語である。〈痰《たん》を吐くな〉。うずら売りの男は、女主人に断わられると、音をたてて店先に痰を吐いた。女主人の顔つきが険しくなった。私はそのとき、ふいに、石野の運転するオートバイのうしろに乗り、開通して間もない名神高速道路を素っ飛ばした夜を思い出したのである。

石野は、夏休みに入ってすぐの、熱い蒸気に包まれたかのような寝苦しい夜、私の住まいを訪れた。窓からそっと顔を出した私に、石野はオートバイにまたがったまま、

「名神を走ってみィひんか？」

と声を忍ばせて誘った。

「もう十時やで」

「そやから、車も少ないやろ？」

「そのオートバイ、どないしたんや。買《こ》うたんか？」

「近所のおっさんに借りたんや」

私は気がすすまなかったが、石野は執拗《しつよう》に誘いつづけた。わざわざ私を誘うために、尼崎から大阪の福島区まで来たことを不審に感じた。私は涼みに出るふりをして、階段を降りた。

「茨木《いばらき》のインターチェンジまで国道で行って、そこから名神で尼崎まで帰ろ」

石野はオートバイのハンドルを叩《たた》き、

「新品やで。百二十五ccや」

と言った。私がなぜ、石野の運転するオートバイに乗ったのか、そのときの自分の心をどうしても思い出すことは出来ない。けれども、帰ってくるのはきっと夜中の一時を廻るに決まっているのに、両親の叱責《しっせき》も気にせず、誘いに応じたのである。彼は、茨木までの国道を巧みなハンドルさばきで走り、信号で停まるたびに、

「学校を無断で休むような人間は駄目《だめ》なやつだ」

と言った。どの濁音のところでも詰まらなかった。言葉は滑らかに、石野の口から流れ出た。

「お前、ちゃんと言えるようになったんか？」

彼は何事かを為《な》しとげた勇者と化していたのである。

「どうや。何遍でも言うたるで、がぎぐげご。だぢづでど。どうや。あの先公みたいに、濁音だらけの意地の悪い言葉を考えてくれよ」

「なんで急に言えるようになったんや？」

「なんで言われへんかったんか、自分でも不思議や」

私は奇声をあげ、石野の頭をうしろから何度も叩いた。石野も、オートバイを走らせながら、

「がぎぐげご。だぢづでど。学校を無断で休むような人間は駄目なやつだ」

と大声でわめいた。高速道路に入ると、石野はオートバイの速度をあげた。

「おい、いま百四十キロやぞ」

「それ以上は出すなよ」

　私は石野の腰に両手を廻し、長距離トラックを追い越すたびに体に力を込めた。茨木から尼崎のインターチェンジまでを、石野は二十五分で走った。料金所で金を払い、オートバイを国道につづく道に停め、私と石野は、口の中の蚊を吐き出すために、唾を吐いた。

「何匹かは、胃に入ってしもたぞ」

　と私は笑いながら言った。石野は草むらにあおむけに倒れ、手と足をばたつかせ、

「がぎぐげごォ！」

　と叫んだ。そして、倒れたまま、

「俺《おれ》、学校を辞めるぞ」

　と言った。

「親父は商売が下手や。俺が営業をやって、得意先を増やしたる。俺は喋《しゃべ》るのがうまいんや」

「そうや。お前は何でも喋れる。漫才師にでも落語家にでもなれるで。顔も不細工やから、漫才師に向いてる。おい、石野、漫才師になれ」

　だが、口の中の蚊を吐き出し、オートバイのエンジンをかけた石野は、ぽかんと私を見つめた。垂れ目を夜空に向けてから、こう言った。

「あかん。パンクや」

オートバイの前輪のタイヤがパンクしていたのだった。私たちは高速道路の料金しか持っていなかった。

修理代のことばかり心配している私に、石野はそう言った。

「なんで、オートバイを停めてるときにパンクしたんやろ」

石野は、とぼとぼ料金所まで歩いて行き、修理屋がどこにあるのかを訊くと、口を半開きにしたまま、無言でオートバイを押して歩いた。私も、次第に石野の無言の意味が判ってきた。時速百四十キロで高速道路を素っ飛ばしているオートバイの前輪がパンクすれば、いったいどうなるのか。そして、いったいなぜ、タイヤは、道端に停めているあいだにパンクしたのか。

私たちは修理屋の主人にわけを話し、免許証を見せ、あした必ず代金を払いに来ると約束して、修理してもらった。私を家に送り届ける道中、石野は一度だけ、

「絶対に死んでたやろなァ。俺もお前も」

とつぶやき、二度と、がぎぐげごも、だぢづでども口にしようとはしなかったのである。

光明飯店は満員になった。お茶だけの客である私は居心地が悪くなり、煮たった鍋に、川魚の切り身や砂肝を入れ、それをたれにつけて食べている人々を見つめた。空の牛乳壜《びん》を持

った少年が、光明飯店の前を通りすぎた。少年の肩は青かった。私は、客たちの顔のあいだから、円通寺街を見やった。私は、赤煉瓦《あかれんが》の家の横に路地があり、石炭の倉庫の戸があいている。働いている青年の背も青いのである。円通寺の門前から大通りへとつながる円通寺街の狭い一角には、夕日は差し込まないのであろう。この国では、自転車と同じ値段だという馬が、疲れた目を道に落としている。ロバと体形がそっくりだが、顔はやはり馬の顔をしている。その馬の背も青黒く光った。

私は、円通寺見物を終えた友人たちが、もうそろそろ表に出てくる時分だと思った。石野への手紙は書き終えていないが、私は便箋を鞄にしまい、木の椅子から立ちあがった。光明飯店の女主人は、残っているお茶を見て、笑顔で話しかけてきた。周りにいる客たちの何人かも、私に何か言った。店が混んできたのを遠慮して、私がお茶を飲み残したまま出て行こうとしている。そんな遠慮は無用だ。ゆっくりお茶を飲んでいけばいい。そう言ってくれているのである。

油っ気のない長髪の青年も、黄色い乱杭歯《らんぐいば》の老人も、箸入《はしい》れの中から、私のために箸を取ってくれ、一緒に鍋をつつけと勧めた。私は、

「謝謝《シェシェ》、謝謝《シェシェ》」

と礼を述べ、腕時計を指差し、

「友だちが」

そう日本語で言いかけて、一瞬口をつぐんだ。友だちが死んだかも知れないので……。声を出せば、うっかりそう言ってしまいそうな気がしたのである。コンクリートのたたきに立ち、水溜《みずたま》りを避けて、光明飯店から円通寺街へと大股《おおまた》に出ると、何台かの自転車の群れにまきこまれ、次に、馬車の荷台にぶつかった。つかのま、私は自分が何をしているのか判らなくなった。馬車のうしろには、別の自転車の一群がやって来、そのあとには、また二台の馬車がつづいた。誰《だれ》もかれもが、私に声をかけた。

「端に寄らないと危ないよ」

「うろうろするなよ」

そのように言われたみたいな気がした。私は慌《あわ》てて狭い通りの端に寄り、ほとんど無意識に、赤い煉瓦塀に沿った路地に足を踏み入れた。石灰の撒《ま》かれた路地は、十メートルも行くと突き当たりで、老婆《ろうば》が、枯草を莫蓙《ござ》に並べて坐っていた。何に効くのかは判らないが、それもまた漢方薬らしく、薬草特有の仄《ほの》かな匂《にお》いがあった。

低い塀越しに民家を覗《のぞ》くと、十二、三歳の少年が、いじけた表情で柱に凭《もた》れ、母親に叱《しか》られていた。

「がぎぐげご、ぐらい言われへんのんか。そんなことぐらいで、なんで学校へ行くのがいややねん。ドアホ！」

母親に叱られるたびに、石野は声をあげて泣いた。彼は小学校六年生なのに、真顔で、

「ぼく、死にたいねん。学校へ行かなあかんのやったら、ぼく、死にたいねん」

と母親に訴えた。そのたびに、耳が真っ赤になるほどの平手打ちをくった。そんな彼が、いかなる方法で、己れの言語障害を克服したのか、私はついに訊いてみることはなかった。彼の曖昧《あいまい》な返答のとおり、ある日、不思議が生じて、突然滑らかに喋れるようになったのかもしれないし、人知れず、自己訓練を積み重ねたのかもしれない。けれども、そんな石野の途方もない歓《よろこ》びと、それに対する精一杯の表現を停止させたタイヤのパンクは、彼の精神に、どんな一撃をもたらしたのであろう。私は、路地の突き当たりで薬草を売っている老婆の近くにたたずみ、本当に、走っているときになぜパンクしなかったのであろうと考えた。

屋根に草が生えた家から、少年がホウロウの器を持ち、仏頂面《ぶっちょうづら》をして出て来た。私に一瞥《いちべつ》もくれず円通寺街に出、門前のほうへ歩き始めた。私は、少年のあとをついて行った。魚売りは、店仕舞を始めている。七輪は、あらかた店先から消え、バナナ売りも、品物をほったらかして、路地の中途で煙草《たばこ》を吸っていた。路地から路地を縫って、子供たちが走っていた。水仙《すいせん》の球根は、二つか三つ数が減って、露店の老人は持参した弁当を食べている。

頭のつぶれたうずらが、うずら売りの去ったあとに残され、それは馬車やリヤカーの車輪に轢《ひ》かれた。

「友だちが死んだかもしれないので……」

私は、だんだんその言葉に酔い始めた。何度もそうつぶやき、駄菓子屋の店先で、頭のつぶれたうずらの死骸《しがい》を見つめた。書きかけの便箋を出し、固く丸めて、うずらの死骸の傍《そば》に捨てた。円通寺街を、自転車や馬車やリヤカーを巧みに避けながら、右側へ寄ったり左側へ移ったりして、門前へと急いだ。取り残された洗濯物《せんたくもの》が、空よりも濃い青に染まって、仕事を終えた人々が、これから仕事を始める食堂の主人たちと声をかけ合っている。

解 説

荒 川 洋 治

九つの物語は、子どもの頃《ころ》のこと、働きはじめた頃の話、大人になってからの話と、いろいろあって、ひとくくりにはできそうもないけれど、いずれにも読む人の誰《だれ》もが親しみを感じることと思う。特殊な話にみえるときも、心とは無縁な場所を問題にしているわけではない。個人的なこだわりを描くにしても、文学的な完成度の高さが、それにも公平に向きあわせることになっている。

まずは子どもの頃の話が、とてもたのしい。

わが子がかわいい、というい方がある。親として、自分の子どもがかわいいということである。だがこの言葉を「わが子ども時代」つまり子どもだった自分がかわいいという意味にとっても、それほどおかしいこととはぼくには思えない。どんなに貧しい家であっても、また苦しいことがあっても、子どものときは純真で、かわいい。大人の自分は自分でもこにくらしくてかわいいところなんかないけれど。そう感じている人が多いと思う。わが子がかわいい、という言葉には、そういう部分もひそんでいるかもしれない。

「わが子ども時代」がかわいいと思っても、それは書きにくい。ためらってはみても、やっぱり人は書くと思うのだ。人の自然であり、はずかしいことではない。そして、「子ども時代」がゆたかに、流れるように描き出されるとき、ぼくらはとてもしあわせになる。意見や勤め先がちがっても誰とも人は、手をつないで生きている、そういう一つの気持ちのなかに溶けこめると思うのだ。

「力」という作品は、お母さんがピカピカの小学一年生の「私」の、学校までの道のりを、尾《つ》けて、うしろからみつめる話だ。「定期券入れは振り廻《まわ》すし、バスから降りたら何やら急に地べたに坐り込んでランドセルを背負い直すし、遅刻するかも知れんいうのに、弁当箱を落とした人をいつまでも見てるし、……」と、お母さんは気が気ではない。帰ってお父さんにそのときの様子を話すと、お父さんは大笑いしたそうだ。酒のみで女は囲う、あきないは失敗するしで、いいとこないお父さんだけど、わが子のことでおなかの底から笑ったそうだ。笑うことができたというのだ。

ぼくはこのくだりを読むだけで、涙がぽろぽろ出てしまった。なんて、いいお父さんだろう。なんて美しい家族だろう。「これでひとりで生きていける」と目をほそめた父親の言葉は、子どもの「私」だけに宛てられたものではない。お父さんも、お母さんも、その言葉を自分のこととして、かみしめていたはずだ。そういうところがあったはずだ。「子ども時代」というのは、その子一人ではなく、実はみんなのものなのだ。みんなが、その、誰かの「子ども時代」をかこんで、生きている。そこに異なる人影があっても、目をそらしたりはしない。みんなが「子ども時代」でつながっている。それははずかしいことでも、めんどうなことでもなくて美しいことだと思う。

「トマトの話」は、もう少し年をとった「子ども時代」の話といえるだろう。大人になりきってしまうと、いろいろと分別を着込んで、人を置きざりにしたり、読みちがえたりして、平気で過ごしている。でも「私」は、「私」一人は、置きざりにされて消えていく人に、いつまでもいつまでも心をのこそうとしている。大人としてはまだはんぱな頃なのだ。だからこそ、そこにあらわれる心は、忘れたものを問いかけるのである。

　問いかける人は、ゆきずりの、見知らぬ人も、またこの世界から遠ざかっていく人も同じ目のなかに入れる。日本の短篇《たんぺん》の歴史のなかにおそらくは刻まれるであろう名篇「眉墨《まゆずみ》」は、遠ざかっていく人を、みつめる話である。うしろからみつめた、あの母親を、こんどはこちらがみつめている。だから、とてもかなしい話なのだ。でも、この話にもかくされた「力」がある。生きとし生けるものを、はげます「力」があるのではないか。母親は最後の最後まで、まるで自分に最後があるとは知らぬかのように、鏡の前で眉墨をひく手を休めない。生涯《しょうがい》をおわっても、人の生き方がつらぬかれる。その姿ほど力づよいものはない。そこにはその人の日々の習性が、生の時間の枠組《わくぐみ》をこえて、とどめられている。それはその人一人のものであると同時に、それを見とった人のなかに、終わりのない生の、おごそかな時の調べをおしえてくれるものなのだ。いのちという限りあるものをこえた「力」を——。

大人になりきってからの話も、人に優しい。「五千回の生死」には、一日に五千回も死にたくなるという、奇妙な男が登場する。その男の自転車のうしろに乗せてもらうことになって、はらはらする主人公。この、関西弁の妙味がはだかでとびだす二人のやりとりは、リズミカルでコミカル。おなかがよじれながら読んだ人も多いことだろう。


ものすごいスピードで走りだした。五分もたたんうちに、

「おい、死にとうなってきたァ」

って叫びよった。俺は飛び降りた。交差点のど真ん中や。俺が飛び降りたら、そいつは交差点を渡りきったところで自転車を停めて、じっとうなだれてる。


だが、その男はまた、しばらくするとこんなふうに変わる。一日に五千回も死にたくなるというのだから、むりもない。


「おい、大丈夫や。乗れよ」

「ほんまやろなァ。無理するなよ。お前のそのけったいな発作がおさまるまで、俺は絶対に自転車には乗れへんぞォ」

「うん、ものすごう嬉しい気分や。死んでも死んでも生まれて来るんや。それさえ知っとったら、この世の中、何にも怖いものなんてあるかいな。乗れよ」

（……）

「死んでも死んでも生まれてくるんや」

と言うのを聞いてるうちに、自分までが嬉しいなってきたんや。そいつがそう言うたびに、

「そうかァ、そらよかったなァ」

本気で相槌《あいづち》を打っとった。

「死んでも死んでも生まれてくるんや」という〝思想〟も頼もしいが、ゆきずりの人から、「力」にみちた生命観を読みとり、そこに自分を、あずけることのできる主人公の心の構えも、すてきではないか。自分だけの、自分にしかわからぬ〝発作〟。その個人的なものがある。あかの他人の立場がほがらかにのみほして受けいれていくようすには、感動的なものを、あのピカピカの「私」をみつめた母親のように、父親のように、ときに目をほそめ、ときに気をもみ、あたり一帯が気がつくと、いっしょに動き、流れているような、その晴々とした感じは、「そうかァ、よかったなァ」という主人公のつぶやきによって、ぼくらの胸のふかくにのこるだろう――。

「紫頭巾《むらさきずきん》」「昆明《こんめい》・円通寺街」は、国籍のちがいや、異なる風土に関係したシリアスな作品品である。心をのこして生きることの、つらさとあたたかみがにじみ出ている。読者はここに、も、歳月のなかで「力」を高めていく、人の生きかたを知ることだろう。

宮本輝氏の作品には過去をつなぎとめる思いが熱く波打っている。その過去には「子ども時代」が生《き》のままに存在してぼくらの耳に届く親しみのある語りで、人間の夢について、願いについて話をしてくれるのだ。この「私」の話を、という調子はない。「私」こそが、共感の場所だからだ。そこには、見える人、見えない人たちの日々の思いが、いいですか？こんな私で？といいながら時間も距離もいとわずに集まってくるのだ。「力」はどの日にもどの人にも湧《わ》き出てくる。そんな血のかよった道を、はなればなれではなく誰もがいっしょに、歩きたいと願っているのだ。宮本氏の作品はその道のゆたかな意味合いを、たしかな言葉で書き伝えている。

（平成二年三月、詩人）

この作品は昭和六十二年六月新潮社より刊行された。

文字づかいについて

新潮文庫の日本文学の文字表記については、原文を尊重するという見地に立ち、次のように方針を定めた。

一、口語文の作品は、旧仮名づかいで書かれているものは新仮名づかいに改める。
二、文語文の作品は旧仮名づかいのままとする。
三、常用漢字表、人名用漢字別表に掲げられている漢字は、原則として新字体を使用する。
四、年少の読者をも考慮し、難読と思われる漢字や固有名詞・専門語等にはなるべく振仮名をつける。

水上勉著
五番町夕霧楼
京都五番町の遊廓に娼妓となった貧しい木樵の娘夕子。色街のあけくれの中に薄幸の少女の運命を描いて胸に迫る水上文学珠玉の名編。

水上勉著
霧と影
旧友の転落死に疑問を持つ新聞記者小宮の姿を追いながら、風光絶佳の秘境・若狭猿谷郷に呪われた人間たちの宿命を描くサスペンス。

水上勉著
雁の寺・越前竹人形
直木賞受賞
少年僧の孤独と凄惨な情念のたぎりを描いて、直木賞に輝く「雁の寺」、哀しみを全身に秘めた独特の女性像をうちたてた「越前竹人形」。

水上勉著
飢餓海峡
貧困の底から、功なり名遂げた樽見京一郎は、殺人犯であった暗い過去をもっていた……。洞爺丸事件に想をえて描く雄大な社会小説。

水上勉著
京の川
出生の秘密を胸に、複雑な人間の絆に縛られながらも、ひたすらに女の道を歩もうとする芸妓の人生を、美しい古都の風物の中に描く。

水上勉著
金閣炎上
天を焦がす金色の焔に、彼は何を見たのか？身も心もぼろぼろになって死んだ金閣放火僧の痛切な魂の叫びを克明に刻む長編小説。

三島由紀夫著

仮面の告白

女を愛することのできない青年が、幼年時代からの自己の宿命を凝視しつつ述べる告白体小説。三島文学の出発点をなす代表的名作。

三島由紀夫著

花ざかりの森・憂国

十六歳の時の処女作「花ざかりの森」以来、巧みな手法と完成されたスタイルを駆使して、確固たる世界を築いてきた著者の自選短編集。

三島由紀夫著

愛の渇き

郊外の隔絶された屋敷に舅と同居する未亡人悦子。夜ごと舅の愛撫を受けながらも、園丁の若い男に惹かれる彼女が求める幸福とは？

三島由紀夫著

禁色

女を愛さない美青年を、メフィストフェレスさながら操ることによって、かつて自分を拒んだ女達に復讐を試みる老作家の悲惨な最期。

三島由紀夫著

音楽

愛する男との性交渉にオルガスムス＝音楽をきくことのできぬ美貌の女性の過去を探る精神分析医——人間心理の奥底を突く長編小説。

三島由紀夫著

真夏の死

伊豆の海岸で、一瞬に義妹と二児を失った母親の内に萌した感情をめぐって、宿命の苛酷さを描き出した表題作など自選による11編。

大江健三郎著

死者の奢り・飼育

芥川賞受賞

黒人兵と寒村の子供たちとの惨劇を描く「飼育」等6編。豊饒なイメージを駆使して、閉ざされた状況下の生を追究した初期作品集。

大江健三郎著

芽むしり仔撃ち

疫病の流行する山村に閉じこめられた非行少年たちの愛と友情にみちた共生感とその挫折。綿密な設定と新鮮なイメージで描かれた傑作。

大江健三郎著

性的人間

青年の性の渇望と行動を大胆に描いて波紋を投じた「性的人間」、政治少年の行動と心理を描いた「セヴンティーン」など問題作3編。

大江健三郎著

空の怪物アグイー

六〇年安保以後の不安な状況を背景に〝現代の恐怖と狂気〟を描く表題作ほか「不満足」「スパルタ教育」「敬老週間」「犬の世界」など。

大江健三郎著

見るまえに跳べ

処女作「奇妙な仕事」から3年後の「下降生活者」まで、時代の旗手としての名声と悪評の中で、充実した歩みを始めた時期の秀作10編。

大江健三郎著

「雨の木《レイン・ツリー》」を聴く女たち

荒涼たる世界と人間の魂に水滴をそそぐ「雨の木」のイメージに重ねて、危機にある男女の生き死にを描いた著者会心の連作小説集。

新潮文庫最新刊

宮本輝著
流転の海
理不尽で我儘で好色な男の周辺に生起する幾多の波瀾。父と子の関係を軸に戦後生活の有為転変を力強く描く、著者畢生の大作。

宮本輝著
五千回の生死
「一日に五千回ぐらい、死にとうなったり、生きとうなったりする」男との奇妙な友情等、名手宮本輝の犀利な〝ナイン・ストーリーズ〟。

筒井康隆著
夢の木坂分岐点
谷崎潤一郎賞受賞
サラリーマンか作家か？　夢と虚構と現実を自在に流転し、一人の人間に与えられた、ありうべき幾つもの生を重層的に描いた話題作。

隆慶一郎著
鬼麿斬人剣
名刀工だった亡き師が心ならずも世に遺した数打ちの駄刀を捜し出し、折り捨てる旅に出た巨軀の野人・鬼麿の必殺の斬人剣八番勝負。

津島佑子著
黙（だんまりいち）市
川端賞受賞
子どもたちを連れて、別れた男と過ごすたまさかの一日は、黙して語らぬ森の風景にも似ている……。川端賞受賞の表題作ほか10編。

干刈あがた著
ホーム・パーティー
高層ホテルの用地買収に応じ、一家は西新宿の家を手放した。変貌する東京に暮らす家族の姿を描く芥川賞候補の表題作ほか、全4編。

新潮文庫最新刊

夢枕獏著
歓喜月の孔雀舞《パヴァーヌ》
死んだ女の故郷を訪ねて、男は北上山系の懐深く分け入った――月と螺旋をめぐる著者渾身の表題作など、怪奇と幻想の傑作短編集。

嵐山光三郎著
逆鱗組七人衆
株式会社「逆鱗組」は東京・田無《たなし》の新興暴力団。セコいシノギに精を出す愛すべき現代やくざの日常を描く、ポップな都会派任侠小説。

沢村貞子著
わたしの脇役人生
著者ならではの下町気質と心意気。脇役人生50年の女優業、丹精して暮らす生活の知恵。一日を丁寧に生きるために綴られた随筆集。

高橋治著
風の暦
自然の恵みをそのまま味わう料理法、草木との楽しい語らい、そして旅や賭事。手づくりを実践する作家が贈るこころのカレンダー。

山下勝利著
いまさら、初恋
胸がきりりと痛んだ日。あの熱くひたむきだった恋の日々はどこへいってしまったのだろう――大人のためのラブ・ストーリー20編。

中平邦彦著
パルモア病院日記
―三宅廉と二万人の赤ん坊たち―
わが国初の周産期病院を設立して、産科と小児科の谷間で軽視されてきた新生児医療に半生を捧げた、医師三宅廉の30年の活動を描く。

五《ご》千《せん》回《かい》の生《せい》死《し》

新潮文庫　み-12-8

平成二年四月十五日　印刷
平成二年四月二十五日　発行

著者　宮《みや》本《もと》輝《てる》

発行者　佐藤亮一

発行所　株式会社　新潮社

郵便番号　一六二
東京都新宿区矢来町七一
電話　業務部(〇三)二六六―五一一一
　　　編集部(〇三)二六六―五四四〇
振替東京四―八〇八番

価格はカバーに表示してあります。

乱丁・落丁本は、ご面倒ですが小社通信係宛ご送付ください。送料小社負担にてお取替えいたします。

印刷・二光印刷株式会社　製本・加藤製本株式会社

ISBN4-10-130708-3 C0193